Primera edición, septiembre de 2018

info@westindies.eu

Edición, corrección y maquetación: Colectivo Fut i Makak
Ilustración de portada basada en *Inspiración* de José María Obregón
Ilustración de contraportada basada en *Indio americano luchando con un gorila* de Henri Julien Félix Rousseau
Ilustración de la página cinco basada en *The Santa Maria at Anchor* de Andries van Eetvelt

ISBN: 978-9949-728-80-0
Impreso en Podiprint
Impreso en España – Printed in Spain

CRISTÓBAL COLÓN

CARTAS RENOVADAS

Edición de
Colectivo Fut i Makak

West Indies
Publishing Company

Para Teresa Christiane

Celebrando
cada uno de
sus descubrimientos

PRÓLOGO

«¡Tierra! ¡Tierra!» Con este grito rompía el silencio el vigía del navío en el que iba Cristóbal Colón la madrugada del 12 de octubre de 1492. Creían haber llegado a las Indias, cuando en realidad acababan de descubrir el llamado Nuevo Mundo.

La idea de buscar una ruta alternativa a la India no era exclusiva de Cristóbal Colón: en el siglo XV se había difundido por Europa debido a la propagación de todo tipo de rumores sobre ciertas islas situadas al oeste. Dicho esto, la cultura geográfica de Colón se apoyaba realmente en los conocimientos formales de su tiempo: la *Geografía* de Ptolomeo (c.100-170), basada en la obra de Marino de Tiro, las informaciones del astrónomo persa al-Farghani (c.805-880), el *Libro de las maravillas del mundo* de Marco Polo (c. 1254-1324) y el atlas *Imago Mundi* del francés Pierre d'Ailly (c.1350-1420). Probablemente, la convicción de poder llegar a la India siguiendo la ruta del oeste se debió a varios errores de cálculo, pues Colón calculó en unos 5.000 kilómetros la distancia que separa las Canarias de Japón.

Los viajes de Cristóbal Colón son conocidos gracias a su diario y a las cartas que escribió a sus benefactores, a sus familiares y a los reyes, aunque de todo esto no quedan sino copias. Por tanto, debemos leer las cartas sin olvidar que se basan en unas transcripciones que se hicieron posteriormente y en otras circunstancias. En la presente relación las hemos reescrito para adaptarlas a las circunstancias actuales, sin que en ningún momento se haya perdido su esencia. Las cartas seleccionadas en esta obra son las que permiten seguir a Colón en su periplo atlántico y su itinerario por América.

La expedición partió de Palos el 3 de agosto de 1492. Colón navegó hacia las Canarias para dejarse empujar hacia el oeste por los vientos alisios. Pasados dos meses, por fin, el 12 de octubre, la flota llegó a la isla de San Salvador, en las Bahamas. Como leemos en la Carta a Luis de Santángel, con la que Colón anuncia el descubrimiento, durante tres meses la nao Santa María y las carabelas La Pinta y La Niña recorrieron el archipiélago y dejaron el primer asentamiento en La Española, donde encalló la Santa María. A su llegada a España, las crónicas de la época cuentan cómo Colón, ante un público maravillado, presentó loros, indígenas y objetos de oro; un espectáculo que exaltó la imaginación de muchos.

El segundo viaje fue el más espectacular de todos los que realizó Colón, pues partió con una flota de 17 barcos, 5 naos y 12 carabelas, y unos 1.500 hombres. Llegaron primero a las Antillas Menores y, cuando de Puerto Rico por fin alcanzaron La Española, comprobaron que el asentamiento había sido incendiado y los hombres ejecutados. Entonces Colón decidió fundar un asentamiento más al este, también al norte de la isla, La Isabela. En la carta que escribe a los reyes sobre la población y la administración de La Española, leemos cómo sienta las bases de la colonización de esa isla. Durante el segundo viaje también costeó Cuba; en el fragmento de la carta que escribió a los reyes describe, por primera vez, la belleza del Jardín de la Reina en Cuba, y en la carta a Pedro Margarite leemos las instrucciones que el Almirante dio para reconocer dicha isla.

Así como en la segunda expedición hubo muchos voluntarios interesados en participar, para el tercer viaje solo se pudieron reclutar unos 226 tripulantes, y se usaron seis navíos. Las cartas seleccionadas son las que dan cuenta de los problemas a los que se enfrentaba Colón. En los fragmentos fechados en 1498 desde La Española, leemos la preocupación del Almirante por la relajación de costumbres de los colonos. También hemos seleccionado la carta que escribió al que había sido uno de sus hombres de confianza, Roldán, persuadiéndole de que desistiera de la rebelión que encabezaba, pues había establecido un régimen rival en la parte oeste de La Española, y la carta que escribe a los Reyes Católicos sobre el alzamiento de Roldán. La carta que escribe al Papa en 1502 da una visión general de este viaje y de los últimos sucesos a los que se tuvo que enfrentar. Durante este tercer viaje descubrieron el continente sudamericano y, en cuanto a la situación administrativa, se crearon los primeros repartos de tierras entre indios y colonos.

El objetivo fundamental del cuarto viaje, de abril de 1502 a noviembre de 1504, era buscar un estrecho que condujera a la India, y así fue cómo Cristóbal Colón y sus hombres exploraron el litoral de América Central, desde Honduras hasta Panamá. De este viaje incluimos en nuestra selección de cartas la conocida como *lettera rarissima*, impresa por Morelli, bibliotecario de San Marcos en Venecia, quien la tomó de un manuscrito del Colegio Mayor de Cuenca. Escrita en 1503, Colón relata el cuarto viaje en esta misiva dirigida a los Reyes Católicos. Fue el navegante florentino Américo Vespucio quien, tras recorrer las costas de Surinam y Brasil, escribió una carta a Lorenzo de Médicis con el título de Mundus Novus, consiguiendo que por primera vez se reconociera que aquellas tierras, para los europeos, eran un nuevo mundo.

Teresa Galarza Ballester

CARTA A LUIS DE SANTÁNGEL

Carta del Almirante Cristóbal Colón a Luis de Santángel, Escribano de Ración de los señores Reyes Católicos, refiriéndole su primer viaje y las islas que descubrió.

15 de febrero de 1493

Señor, como sé que tendréis placer en saber de la gran victoria que Dios Nuestro Señor me ha dado en mi viaje, os escribo esta carta, en la que contaré cómo en treintaitrés días llegué a las Indias[1] con la armada que los Ilustrísimos Rey y Reina, Nuestros Señores, me dieron. Allí encontré muchas islas pobladas con un sinnúmero de gente, y de todas ellas he tomado posesión para sus Altezas con pregón y bandera real extendida. Y no me fué contradicho.

A la primera que encontré le puse de nombre San Salvador, en conmemoración a su Alta Majestad; los indios la llaman Guanahaní. A la segunda le puse el nombre de Santa María de la Concepción, a la tercera Fernandina, a la cuarta Isabela, a la quinta la isla Juana[2], y así, a cada una, un nombre nuevo.

Cuando llegué a la isla Juana seguí por su

[1] Los europeos se referían indistintamente a la India o las Indias, sin poder apenas concretar geográficamente.

[2] Cuba.

costa hacia poniente, y la encontré tan grande que pensé que sería tierra firme, la provincia de Catayo en China. Como no encontré villas y lugares en la costa, salvo pequeñas poblaciones, con gentes con las cuales no podía hablar, pues huían todos, seguí mi camino, pensando en encontrar grandes ciudades y villas. Al cabo de muchas leguas, viendo que nada cambiaba y que la costa me llevaba al septentrión contrariamente a mi voluntad, pues el invierno ya había empezado, decidí no perder más tiempo. Con el propósito de poner rumbo al austro[3] y aprovechando el viento volví atrás hasta un puerto señalado, desde donde envié a dos hombres para que recorrieran la tierra para saber si había rey o grandes ciudades. Anduvieron tres jornadas y hallaron infinitas poblaciones pequeñas y muchas gentes, pero ninguna villa de cabecera, por lo cual se volvieron.

Yo entendía por otros indios, que ya me habían explicado, que esta tierra era isla, y seguí por su costa ciento siete leguas más, hasta donde llegaba su fin. Desde un cabo vi otra isla al oriente, a dieciocho leguas de distancia, a la cual puse luego de nombre La Española. Allí fui y recorrí la parte norte, al oriente de la Juana, durante ciento ochenta y ocho leguas en línea recta, habiendo encontrado tierras muy fértiles, y más en esta última isla. Durante el recorrido encontré muchos puertos en la costa, sin comparación con otros de tierras cristianas,

[3] Uno de los cuatro vientos cardinales.

y muchos ríos, grandes y navegables, que son una maravilla. En toda esta comarca hay montañas altísimas que parecen llegar al cielo, tanto es así que la isla de Tenerife parece nada en comparación con ellas. Son todas hermosísimas, de mil hechuras, y todas transitables y llenas de árboles de mil maneras y altos: aparentan llegar al cielo. Parece ser que jamás pierden la hoja según lo que puedo comprender. Los vi tan verdes y tan hermosos como lo son por mayo en España. Los hay que están floridos y los hay con fruto y sin fruto, según es su clase. Por allí por donde yo anduve, cantaba el ruiseñor y otros pájaros con mil sonidos en el mes de noviembre. Hay palmas de seis u ocho maneras, que provoca admiración verlas por la hermosura de cada variedad, tal como ocurre con los otros árboles, frutos y yerbas. Hay maravillosos pinares y campiñas grandísimas, y hay miel, y muchas especies de aves y frutas muy diversas. En las tierras hay muchas minas de metales y hay gente en número inestimabile.

LUIS DE SANTÁNGEL

Esta carta la dirigió Colón a Luis de Santángel (Valencia, 1435-1498), Escribano de Ración de la Corona de Aragón. Además de desempeñar dicho cargo financiero, Santángel prestaba dinero a la Corona para financiar sus empresas. Tras conocer a Colón en 1486, se convirtió en su protector.

Colón, que se había entrevistado con los reyes de Aragón y Castilla y no había logrado convencerles, decidió marchar a Francia para ofrecer sus servicios a su monarca. Pero entonces, Santángel consiguió que los reyes de Castilla y Aragón se interesaran por el proyecto del navegante, y se ofreció él mismo para financiar el viaje sin intereses, invirtiendo parte de su fortuna personal. También propició que los monarcas aceptaran las pretenciosas condiciones impuestas por el futuro Almirante en las Capitulaciones de Santa Fe, firmadas por Santángel como funcionario del Rey.

La Española es una maravilla: las sierras, las montañas, las vegas, las campiñas y las tierras son hermosas y gruesas para plantar y sembrar, para criar ganado de todas clases, para edificar villas y lugares. Los puertos de la mar y los ríos son muchos, grandes y llevan buenas aguas: la mayoría traen oro. En los árboles, frutos y yerbas hay grandes diferencias con la isla Juana: en La Española hay muchas especies y grandes minas de oro y de otros metales. La gente de esta isla y de todas las otras que he hallado y de las que he tenido noticia andan todos desnudos, hombres y mujeres, así como sus madres los paren, aunque algunas mujeres se cubren un solo lugar con una hoja de yerba o una cosa de algodón que para ello hacen.

No tienen hierro ni acero ni armas, ni sirven para ello; no porque no sean gente bien dispuesta y de hermosa estatura, sino porque son muy temerosos. No tienen otras armas salvo las de las cañas cuando están con la simiente, a la que ponen en el cabo un palillo agudo, y no osan usarlas. Muchas veces me acaeció enviar a tierra a dos o tres hombres a alguna villa para hablar y salieron a su encuentro muchos de ellos, pero después huyeron, sin aguardar padre a hijo, y esto no porque a ninguno se haya hecho mal —donde he estado y podido hablar con ellos les he dado de todo lo que tenía, tanto paño como otras muchas cosas sin recibir por ello cosa alguna—, sino porque son temerosos sin remedio. Verdad es que después, cuando están seguros y pierden el miedo, son tan generosos con todo lo que tienen, sin engaños, que solo lo creerá quien lo vea. Cualquier cosa que tengan, si se les pide jamás dicen que no; convidan a la persona y muestran tanto amor que darían sus corazones y cualquier cosa de valor. Luego, por cualquier cosa que se les dé están contentos.

Yo defendí que no se les diesen cosas cortantes como pedazos de escudillas rotas, pedazos de vidrio o cabos de agujetas, que les parecía que eran las mejores joyas del mundo. Un marinero cambió una agujeta por oro con valor de dos castellanos[4] y medio, y otros marineros que cambiaron otras cosas, cuanto menos

[4] El castellano fue una moneda de oro acuñada en el siglo XIV. Valía la sexta parte de una onza de oro.

valían, más recibían. Por blancas[5] nuevas daban todo cuanto tenían, castellanos de oro o algodón hilado. Hasta los pedazos de los arcos rotos de los barriles tomaban, y daban lo que tenían como bestias. Así que me pareció mal. Y les daba yo mil cosas buenas que yo llevaba para que tomen amor, se hagan cristianos y así se inclinen al amor y servicio de sus Altezas y de toda la nación castellana, y procuren ayudarnos y darnos parte de las cosas que tienen en abundancia y que nos son necesarias. No conocían ninguna secta ni idolatría, pero todos creen que las fuerzas y el bien están en el cielo, y creían muy firmemente que yo con estos navíos y gente venía del cielo, y en tal convencimiento me recibieron después de haber perdido el miedo. Esto no sucede porque sean ignorantes, pues son hombres capaces de navegar todos aquellos mares y es una maravilla la buena cuenta que dan de todo, pero nunca vieron gente vestida ni semejantes navíos como los nuestros.

Después de llegar a las Indias, en la primera isla que hallé tomé por la fuerza a algunos de ellos para que me diesen noticia de lo que había en aquellas partes, y nos entendieron y nosotros a ellos por lenguas o señas. Hoy en día siguen pensando que vengo del cielo por mucha conversación que haya habido conmigo. Lo primero que pronunciaban

[5] Moneda llamada así por la blancura del metal en que se fabricaba. En la época de los Reyes Católicos, dos blancas valían un maravedí. Es de suponer que de ahí procede la locución adverbial «estar sin blanca».

adonde yo llegaba, corriendo de casa en casa por las villas cercanas con voces altas, era: «Vengan a ver a la gente del cielo». Y así todos, tanto hombres como mujeres, después de confiar con el corazón en nosotros, venían, y todos traían algo de comer y de beber que nos daban con un amor maravilloso.

Tienen en todas las islas muchas canoas, buques de remo: las hay mayores, las hay menores. Algunas, muchas, son mayores que un buque de dieciocho bancos, aunque no son tan anchas porque son de un solo madero, pero van que no es cosa de creer; con ellas navegan todas las islas, que son innumerables, y traen sus mercaderías. En algunas de estas canoas he visto hasta sesenta u ochenta hombres, cada uno con su remo.

En todas estas islas no vi mucha diversidad de gente, ni en las costumbres, ni en la lengua, salvo que todos se entienden, cosa que es muy singular. Espero que determinarán sus Altezas su conversión a nuestra Santa Fe, a la cual están muy dispuestos.

Ya dije cómo hube andado ciento siete leguas por la costa de la mar, por la línea derecha de occidente a oriente de la isla Juana. Después de hacer este camino puedo decir que esta isla es mayor que Inglaterra y Escocia juntas: porque más allá de estas ciento siete leguas me quedan de la parte de poniente dos provincias que no he andado —a una de las cuales llaman Avan, donde nace la gente con cola—, que no pueden tener de longitud menos de cincuenta o sesenta leguas, según lo que puedo entender de estos indios que conocen todas las islas.

Esta otra Española tiene una costa mayor que la de España desde Colliure en Cataluña hasta Fuenterrabía, en Vizcaya, pues anduve ciento treinta y ocho grandes leguas en línea recta de occidente a oriente. Es para desearla, y una vez vista nunca abandonarla. De todas las islas tengo tomada posesión para sus Altezas y todas están más abastecidas de lo que yo sé y puedo decir. De ellas pueden disponer tan cumplidamente como de los Reinos de Castilla, pero esta Española es el lugar más convenible y con más minas de oro. Así, de la tierra firme de acá como de aquella de allá del Gran Khan, habrá gran trato y ganancia. He tomado posesión de una villa grande, a la cual puse de nombre la Villa de Navidad, y en ella he hecho una fortaleza, que ya a estas horas estará del todo acabada, pues he dejado en ella gente para semejante hecho con armas, artillerías y víveres para más de un año, y buque y maestro de la mar, y gran amistad con el Rey de aquella tierra, en tanto grado que se preciaba de llamarme y tenerme por hermano. Aunque la voluntad cambiase a ofender a esta gente, ni él ni los suyos no saben lo que son las armas, andan desnudos como ya he dicho y son los más temerosos que hay en el mundo. Así que solamente la gente que allá quedó puede destruir aquella tierra. Es isla sin peligro de sus personas, sabiéndose regir.

Primer desembarco de Colón. Guanahani 12 de octubre de 1492. Ilustración realizada a partir de grabado de Theodor de Bry

En todas estas islas me parece que todos los hombres están contentos con una mujer, y a su mayoral o rey dan hasta veinte. Las mujeres me parece que trabajan más que los hombres. No he podido entender si tienen bienes propios, pues me pareció ver que aquello que uno tenía todos lo compartían, en especial las cosas comederas.

En estas islas no he encontrado hombres monstruo como muchos pensaban, más bien toda la gente es de muy lindo aspecto, ni son negros como en Guinea, pues no se crían donde hace calor y hay demasiados rayos solares: es verdad que el sol tiene allí gran fuerza, puesto que de la línea equinoccial está distante veintiséis grados. En estas islas, donde hay montañas grandes tenía fuerza el frío este invierno, mas ellos lo sufren por la costumbre y con ayuda de las viandas que comen con muchas especias muy calientes. Así que monstruos no he hallado ni tengo noticia, pero una isla, la segunda a la entrada de las Indias, está poblada de unas gentes que se tienen en todas las islas por muy feroces, pues comen carne viva. Estos tienen muchas canoas con las que recorren todas las islas de la India y roban y toman cuanto pueden. Ellos no son más deformes que los otros, salvo que tienen la costumbre de traer los cabellos largos como mujeres, y usan arcos y flechas de caña, porque no tienen hierro. Son feroces entre estos otros pueblos que son demasiado cobardes, aunque yo no los temo más que a los otros. Estos son aquellos que tomaban a las mujeres de Martinica, que es la primera isla partiendo de España para las Indias, en la cual no hay hombre ninguno. Ellas no usan enseres femeninos, solo arcos, flechas y cañas, y se arman y cobijan con láminas de alambre, que tienen mucho.

Hay otra isla que me aseguran que es mayor que La Española y en donde las personas no tienen ningún cabello. En esta hay oro sin cuento, y de estas y de otras traigo conmigo indios para que den testimonio.

En conclusión, al hablar de esto que se ha hecho, de este viaje que fue así de corrida, podrán ver sus Altezas que yo les daré tanto oro como sea menester con muy poquita ayuda de sus Altezas, algodón cuanto sus Altezas manden, y toda la almástiga[6] que manden cargar, de la cual hasta hoy solo se ha encontrado en Grecia y en la isla de Xio, y lignáloe y esclavos cuantos manden cargar. Creo haber hallado ruibarbo y canela y otras mil cosas de sustancia que ya habrá encontrado la gente que yo allá dejé, porque yo no me he detenido en ningún cabo en cuanto el viento me ha permitido navegar, solamente en la Villa de Navidad, en cuanto dejé todo asegurado y bien asentado. Y en verdad mucho más hubiese hecho si los navíos me sirvieran como razón demandaba.

Esto es cierto, y eterno Dios Nuestro Señor, el cual da a todos aquellos que andan su camino la victoria de las cosas que parecen imposibles, y esta señaladamente fue una, porque aunque de estas tierras hayan hablado otros todo fueron conjeturas sin alegar haberlas visto. Así pues, nuestro Redentor dio esta victoria a nuestros Ilustrísimos Rey y Reina y a sus reinos famosos de tan alta cosa, y toda la cristiandad debe sentir alegría y hacer grandes fiestas, dar gracias solemnes a la Santa Trinidad, con muchas oraciones solemnes por el gran ensalzamiento que

[6] Almáciga, resina clara, traslúcida, amarillenta y algo aromática que se extrae de una variedad de lentisco.

habrá cuando se unan tantos pueblos a nuestra Santa Fe, y después por los bienes temporales, pues no solamente a España sino a todos los cristianos servirán como refrigerio o ganancia. Fecha en la carabela sobre las islas de Canarias, quince de febrero de noventa y tres.

EL PRIMER VIAJE DE COLÓN

Los conocimientos geográficos de Colón eran lo bastante avanzados como para saber que la tierra era redonda, lo que lo animó a buscar una ruta hacia la India por occidente y así llegar a la zona de Asia donde ubicaba el imperio del poderoso Gran Khan. Con este propósito, reunió a unos cien marinos, un intérprete, un notario y un controlador real para presentarse ante el emperador.

La expedición partió de Palos, Huelva, el 3 de agosto de 1492. Repartidos en la nave Santa María y las carabelas Pinta y Niña, los marinos navegaron hacia las Canarias para aprovechar los vientos alisios y dejarse empujar hacia el oeste. Colón pensaba que la distancia era menor, había errado en sus cálculos. Por fin, el 12 de octubre la tripulación pudo gritar «¡Tierra!»: habían llegado a las Bahamas, y a esa primera isla que divisaron Colón dio el nombre de San Salvador. A los indígenas los llamó indios, pues pensaba que había llegado a la India. Fue el florentino Américo Vespuccio quien, ese mismo año en Sevilla, puso en evidencia la verdad: Colón había llegado a un nuevo continente.

CARTA A PEDRO MARGARITE

Intrucción que dio D. Cristóbal Colón a Mosén Pedro Margarite para reconocer las provincias de la isla de Cuba.

9 de abril de 1494

Primeramente, después de que Hojeda os dé y entregue a la gente, recibidlos y ordenad las batallas[7] que según la disposición de la tierra os parezcan necesarias, y entregadlas a las personas con nombres de capitanes que veáis que las deben llevar, y que sirvan al Rey y a la Reina, Nuestros Señores, y os obedezcan y cumplan lo que les digáis y mandéis de parte de sus Altezas y de la mía, por virtud de los poderes que para ello tengo de sus Excelencias.

Además, por alguna experiencia que se tiene de andar en esta tierra, se escriben aquí abajo algunas cosas que son necesarias hacer. Como vos andaréis por otras provincias o lugares distintos de los que se han explorado, se os deja a cargo para que acrecentéis o quitéis de esto que aquí abajo se escribe como a vos os parezca según el tiempo y la disposición de la tierra: porque la primera intención es que con toda esta gente reconozcáis toda la isla, las provincias de

[7] Batalla era el nombre que recibía la parte central o centro del ejército, a diferencia de la vanguardia y la retaguardia.

ella, la gente, las tierras y lo que en ellas hay, y en especial toda la provincia de Cambao, para que de todo puedan el Rey y la Reina, nuestros Señores, estar bien informados, y de aquí de esta ciudad se os enviarán y proveerán todas las cosas que sean necesarias.

Primero, de aquí se os envían dieciséis hombres a caballo, doscientos cincuenta escuderos y ballesteros, ciento diez espingarderos[8] y veinte oficiales. De esta gente habéis de hacer tres batallas: una para vos y las otras dos para dos personas, que serán las que a vos os parezcan suficientes para tal cargo, a los cuales dad a cada uno la parte de gente que os parezca.

La cosa principal que debéis hacer es velar mucho por los indios, que no les sea hecho mal ni daño, ni les sea tomada cosa contra su voluntad; que reciban honra y sean atendidos de manera que no se alteren. Pero como en este camino que yo hice a Cambao acaeció que algún indio hurtó algo, si hallarais que algunos de ellos hurtan, castigadlos cortándoles las narices y las orejas, que son miembros que no pueden esconder, porque con esto se asegurará el buen comportamiento de la gente de toda la isla, dándoles a entender que esto que se hizo a esos indios fue por el hurto como castigo, y que a los buenos se los tratará muy bien.

[8] El espingardero era el soldado armado con espingarda, una escopeta (o arcabuz) muy larga y de cañón correspondiente a su tamaño.

Fuente: Library of Congress

Como ahora la gente no podrá llevar las provisiones necesarias durante el tiempo que han de estar fuera, allá van N y N[9], los cuales llevan mercaderías de cuentas y otras cosas, para que con mi

[9] Vacío en el original.

autorización puedan comprar el pan y vituallas[10] que se necesiten, llevando cuenta de ellas, poniendo el día y el lugar donde las hallen, y que todo lo que den de dichas mercaderías sea en presencia de la persona que esté por el Teniente de los Contadores mayores, para que tengan razón y cuenta de ello.

Además, debéis ordenar dar veinticinco hombres a Arriaga, si aquí yo no se los doy antes de partir y si él tiene orden de ir junto con esos tres a proveer todo el mantenimiento para toda la hueste, para que ninguna persona, de cualquier grado o condición, vaya a quitar cosa ninguna a los indios y enojarlos; es cosa muy al servicio del Rey y de la Reina, nuestros Señores, porque sus Altezas desean más la salvación de esta gente por que sean cristianos, que todas las riquezas que de acá puedan salir. Así que bien proveído va, y se debe de contentar cada uno porque sus Altezas les mandan pagar para comer y otras cosas que necesarias os sean. Y si por ventura no se hallara de comer por compra, que vos, Mosén Pedro, lo proveáis, tomándolo lo más honestamente que podáis halagando a los indios.

A Cahonaboa, querría que con buena diligencia lo pudiésemos tener en nuestro poder, y por eso debéis hacerlo de esta manera según mi albedrío: enviar una persona con diez hombres que sean muy discretos, que vayan con un presente de ciertas cosas, halagándole y mostrándole que tengo

[10] Del latín tardío victualia, vituallas es sinónimo de víveres.

muchas ganas de su amistad y que le enviaré otras cosas, y que él nos envíe el oro, recordándole que vos estáis ahí y que vais por esa tierra con mucha gente, y que tenemos infinita gente, y que cada día vendrá mucha más, y que siempre yo le enviaré parte de las cosas que traigan de Castilla; tratadlo así de palabra hasta que tengáis amistad con él. No debéis ahora ir a Cahonaboa con la gente, solo enviar a Contreras, que vaya con diez personas y vuelvan con la respuesta adonde quiera que estéis, y recibida la embajada, podréis enviar otra vez y otra, hasta que Cahonaboa esté seguro y sin recelo de que vos le queréis hacer ningún mal. Después, tened la forma de apresarlo como mejor os parezca, según la forma que habré entendido por la relación con Contreras, haciendo Contreras lo que vos le digáis y no excediéndose.

La manera en que se debe prender a Cahonaboa, con reservas de lo que allá se halle después, es esta: que Contreras trabaje mucho con él y encuentre la manera para que Cahonaboa vaya a hablar con vos, para que con más seguridad se haga su prisión. Y como él anda desnudo, sería malo detenerle y que se soltase y huyese, por eso, estando en vistas con él, hacedle dar una camisa y vestidlo, y un cinto, y ponedle una toca, y que no se os suelte. También debéis prender a sus hermanos, que con él irán, y si por caso Cahonaboa estuviera indispuesto y no pudiera ir a estar con vos, encontrad la manera para que dé por bien vuestra ida a él, y antes que vos a él lleguéis, Contreras debe ir primero para asegurarlo, diciéndole que vos vais a él para conocerlo y tener con él amistad, porque yendo vos con mucha gente podría ser que recelase y se fuera por los montes, y vos erraríais la presa. Pero todo se remite a vuestra buena discreción para que hagáis lo que mejor os parezca.

Debéis conseguir que la justicia sea muy temida, y que quien a vuestro mandamiento desobedezca sea castigado, porque si de otra manera pasase, podría ocurrir que se perdiese toda la hueste, y vos no podríais así aprovechar a la gente, y harían daño. Y los indios, viéndolos así desmandados y desconcertados, podría ser que se atrevieran a matarlos, así que por esto y por otras cosas es bueno que seas obedecido, y se cumpla todo lo que mandes, y ninguno salga de vuestro mandamiento. No hay tan mala gente como los cobardes que nunca dan la vida: así que si los indios hallasen un hombre o dos desmandados, no sería extraño que los matasen.

Con la ayuda de Nuestro Señor habéis de andar mucha tierra, y por donde quiera que vayáis, en todo caso, por todos los caminos y sendas, haced colocar cruces altas y mojones, cruces en los árboles y cruces en los lugares convenientes, donde no se puedan caer, porque así se debe hacer. Pues, loado Dios, la tierra es de cristianos, y haced poner en algunos árboles altos y grandes los nombres de sus Altezas.

Me parece bien que toda esta gente vaya ahora con Hojeda hasta Cambao, y que desde allí los recibáis. Y, al comienzo de vuestro viaje a Yamahuix, llevaréis el camino por donde os parezca para ver el término de Cambao, porque los caballos, según nos informaron el otro día Gaspar y los otros que fueron a Yamahuix, no pueden pasar de Santo Tomás adelante por el mal camino; debéis dejarlos en Santo Tomás, y dar cargo de ellos a un escudero de los de las guardas que tenga el suyo allí también, o a otra persona que os parezca mejor, que haga cuidar a estos caballos con mucha diligencia tanto y más que si fuesen suyos, porque ya sabéis cuánto nos va en tenerlos buenos. Y si halláis tierras, que podáis enviar por ellos para proveeros y serviros.

Para todo lo cual y todo lo dicho, y para cada cosa y parte de ello, y para lo anejo y dependiente de vos, concedo el mismo poder que yo he obtenido de sus Altezas de Virrey y Capitán General de estas Indias por la presente, bien así como si dicho poder aquí fuese inserto e incorporado; y por virtud de dicho poder de parte de sus Altezas mando a la gente que con vos fuera de aquí adelante que obedezcan vuestros mandamientos, y hagan todo lo que vos les digáis y mandéis de parte de sus Altezas, como harían si yo lo mandase, bajo las penas que vos les pusierais, las cuales ejecutad en las personas y bienes de los que lo contrario hagan.

Fecha en la ciudad Isabela, que está en la isla Isabela en las Indias, a nueve días del mes de abril, año del nacimiento de nuestro Salvador Jesucristo de mil cuatrocientos noventa y cuatro.

El Almirante.

EL SEGUNDO VIAJE DE COLÓN

El segundo viaje fue el más espectacular de los que realizó Colón. Partió con una flota de 17 barcos, 5 naos y 12 carabelas, y unos 1.500 hombres, entre ellos su hermano Diego y otros expedicionarios notables, como Pedro de las Casas (padre de Fray Bartolomé de las Casas) y el cosmógrafo Juan de la Cosa. Llegaron primero a las Antillas Menores.

A la primera isla que descubrieron, Colón la llamó Deseada. Recorrieron la isla Dominica y tomaron posesión solemne en tierra de la que llamó Marigalante. Luego fondearon junto a la isla que llamó Guadalupe. Pasaron por Montserrat y Antigua, atravesaron el archipiélago de las Once Mil Vírgenes y llegaron a San Juan Bautista, isla que a los pocos años Ponce de León hizo llamar Puerto Rico.

Cuando de Puerto Rico por fin alcanzaron la isla

Española, comprobaron que el Fuerte Navidad había sido incendiado y los hombres ejecutados. Entonces Colón decidió fundar un asentamiento más al este, también al norte de la isla, La Isabela. Esta vez, la nueva empresa tenía tres objetivos definidos: conquistar, colonizar y evangelizar. Para el objetivo de evangelizar, se acreditó a Fray Bernardo Boyl como vicario apostólico, quien fundó la primera misión en las Antillas. Para llevar a cabo la conquista y organización civil y política se dictaron las primeras órdenes sobre la creación de municipios y maneras de administrar justicia. Este viaje supuso la confirmación oficial del descubrimiento y se sentaron las bases de la colonización española de las Indias.

CARTA PERDIDA DE CRISTÓBAL COLÓN A LOS REYES DANDO CUENTA DE SU SEGUNDO VIAJE A LAS INDIAS

Este texto es una referencia sobre una carta perdida del Almirante. El contenido lo recoge Fray Bartolomé de las Casas, hijo de uno de los hombres que acompañó a Cristóbal Colón en su segundo viaje, en su Historia general de las Indias Occidentales.

Dice el Almirante en una carta que escribió a los Reyes que su propósito en este viaje era ir a las islas de los caníbales para destruirlas. Sin embargo, tras los continuos y fatigosos trabajos durante noches y días sin descanso que había padecido durante el descubrimiento de Cuba y Jamaica —especialmente cuando andaba entre las muchas isletas y bajos, cercanas a Cuba, a los que dio el nombre de El Jardín de la Reina, y por donde anduvo treinta y dos días sin dormir—, y al rodear La Española y hacer parada en la isleta de Mona, y ya cuando llegaba cerca de la isla de San Juan, súbitamente le dio una modorra pestilencial, que totalmente le quitó el uso de los sentidos y todas las fuerzas, y quedó muerto, y no pensaron que un día durara. Por esta causa, los marineros, con cuanta diligencia pudieron, dejaron el camino que llevaba o quería llevar el Almirante, y con los tres navíos lo llevaron a La Isabela, donde llegó el 29 de septiembre del mismo año.

EL JARDÍN DE LA REINA

En su segundo viaje a América, Cristóbal Colón recorrió el sur de Cuba. Durante el recorrido descubrió un archipiélago de más de 250 islas y cayos que decidió llamar El Jardín de la Reina, en honor a Isabel la Católica. Actualmente es uno de los parques naturales más grandes de Cuba, sin ningún edificio ni infraestructura que lo altere. Posiblemente todo se mantiene en el mismo estado de conservación que cuando los navegantes españoles lo descubrieron por primera vez.

El coco, árbol originario de América
Fuente: Vida y viajes de Cristóbal Colón / Washington Irving

CARTA DE COLÓN A LOS REYES ACERCA DE LA ESPAÑOLA Y DE OTRAS ISLAS

Carta de D. Cristóbal Colón acerca de la población y negociación de La Española y de otras islas descubiertas y por descubrir.

Sin fecha

Muy altos y muy poderosos Señores:

Obedeciendo lo que Vuestras Altezas me mandaron, diré cuanto sé sobre la población y administración tanto de la isla Española como de las otras, las halladas y por hallar, según mi parecer.

En primer lugar, que a la isla Española vayan hasta un número de dos mil vecinos, los que quieran ir, para que la tierra esté más segura y se pueda granjear y tratar mejor, y para que desde allí se puedan mover hacia las islas cercanas.

Que en dicha isla se levanten tres o cuatro pueblos repartidos en los lugares más convenientes, y que los vecinos que allá vayan sean repartidos por dichos lugares y pueblos.

Que por más y más rápido que se pueble dicha isla, que nadie tenga licencia para coger oro en ella, salvo en la población de la que sean vecinos y en la que hagan casas para su morada, para que así vivan juntos y más seguros.

Que en cada lugar y población haya un alcalde o alcaldes con su escribano del pueblo, según uso y costumbre de Castilla.

Que haya iglesia y abades o frailes para la administración de los sacramentos y cultos divinos, y para la conversión de los indios.

Que ninguno de los vecinos pueda ir a coger oro, salvo con licencia del gobernador o alcalde del lugar donde viva, y que primero haga juramento de volver al mismo lugar de donde vaya a salir y de registrar fielmente todo el oro recogido. Deberá volver una vez al mes o a la semana, según el tiempo que le sea asignado, a dar cuenta y manifestar la cantidad de dicho oro, la cual deberá ser anotada por el escribano del pueblo y ante el alcalde, y si se considerase necesario, que esté presente así mismo un fraile o abad destinado para ello.

Que todo el oro que así se consiga se tenga luego que fundir y señalar con alguna marca que cada pueblo convenga, y que se pese y se entregue a cada alcalde en su lugar la parte que pertenezca a Vuestras Altezas. Y que de todo ello escriba un abad o fraile, de manera que no pase por una sola mano, y así no se pueda faltar a la verdad.

Que todo el oro que se encuentre sin la marca de dichos pueblos, en poder de los que una vez se hayan registrado por pertenecer a una orden, les sea tomado y dado por perdido, y se dé una parte al acusador y otra a Vuestras Altezas.

Que de todo el oro que haya se consigne el uno por ciento para la construcción de iglesias y sus ornamentos, y para el sustento de los abades o frailes de ellas. Si se decide dar algo a los alcaldes y escribanos por su trabajo y por hacer fielmente sus oficios, que se remita al gobernador y tesorero que allá sean enviados por Vuestras Altezas.

En lo que toca a la división del oro y de la parte que debe haber para Vuestras Altezas, esto, a mi parecer, debe ser remitido a dichos gobernador y tesorero, porque deberá ser más o menos según la cantidad del oro que se haya encontrado; o que por tiempo de un año tengan Vuestras Altezas la mitad y los cogedores la otra mitad, que después podrá mejor determinarse dicho reparto.

Que si los alcaldes y escribanos hicieran o consintieran algún fraude, se les haga cumplir una pena, y también a los vecinos que por entero no declaren todo el oro que poseen.

Como por la codicia del oro cada uno querrá más ocuparse en buscarlo que en otras cosas, me parece que se deben establecer periodos específicos con licencia de ir a buscar oro, para que en la isla se hagan otros trabajos.

En lo de descubrir nuevas tierras, me parece que se debe dar licencia a todos los que quieran ir, y ser permisivo con respecto al pago del quinto[11], moderándolo de alguna buena manera, a fin de que muchos estén dispuestos a partir.

Ahora diré mi parecer para la ida de los navíos a la isla Española, y la orden que se debe guardar, que es la siguiente:

Que no puedan ir los navíos a descargar, salvo en uno o dos puertos para ello señalados, donde registren todo lo que lleven y descarguen; y que cuando tengan que partir que lo hagan desde los mismos puertos y registren todo lo que hayan cargado, para que no escondan cosa alguna.

En cuanto al oro que se vaya a traer de las islas para Castilla, así como todo lo que se tenga que cargar, ya sea de Vuestras Altezas como de otras personas, todo ello se deberá poner en un arca que tenga dos cerraduras con sus llaves, una para el maestro y otra para el gobernador o tesorero; y que se deje testimonio de la relación de todo lo que se ponga en dicha arca, y se señale, para que cado uno encuentre lo suyo. Si más oro se encontrara fuera de dicha arca, poco o mucho, se dará por perdido, con el fin de que sea para Vuestras Altezas.

Que todos los navíos que vengan de dicha isla hagan su descarga en el puerto de Cádiz, y

[11] La Corona de Castilla, como propietaria y usufructuaria del suelo y subsuelo americano, establecía, entre otros impuestos, el tributo del quinto (20%) sobre todos los metales preciosos extraídos de ríos, montes y minas.

que nadie entre ni salga hasta que vayan a dichos navíos la persona o personas que para ello Vuestras Altezas designen en la ciudad, a quienes los maestros declararán todo lo que traen y darán fe de lo que hay cargado, para que se pueda ver y requerir si dichos navíos traen alguna cosa encubierta y no declarada al cargar.

Que en presencia de la justicia de dicha ciudad de Cádiz y de quien fuese para ello designado por Vuestras Altezas se abra el arca en la que se trae el oro, y se dé a cada uno lo suyo.

Vuestras Altezas me han encomendado, y quedo rogando a Nuestro Señor Dios por las vidas de Vuestras Altezas y engrandecimiento de muy mayores estados.

LA ESPAÑOLA

La Española es una de las islas más grandes y montañosas del Caribe. Actualmente, alberga dos países: Haití y República Dominicana. Antes de la llegada de Colón, la isla estaba habitada por indígenas de la etnia Taína y en menor medida por Lucayos, Ziguayos y Caribes. Colón decidió establecer relaciones con ellos; pensó que en la isla había un gran número de minas de oro pues los nativos lucían muchas joyas y lo recibieron con oro y regalos pensando que los europeos eran dioses llegados del cielo.

Cuando durante el primer viaje la nave Santa María encalló, parte de la tripulación tuvo que quedarse en tierra. Entonces se inició la construcción de una guarnición, llamada Fuerte Navidad, el primer asentamiento occidental del que se tiene conocimiento en el llamado Nuevo Mundo. En el segundo viaje, Colón encontró el asentamiento destruido.

Construcción de la Fortaleza de la Navidad
Fuente: Vida y viajes de Cristobal Colón / Washington Irving

CARTAS DESDE LA ESPAÑOLA

Cartas de Cristóbal Colón a los Reyes fechadas en la isla Española.

Año de 1498

A continuación reproducimos fragmentos de cartas de Colón publicados por Fray Bartolomé de las Casas en su Historia general de las Indias. Según se desprende del contenido, a Colón le preocupaba la relajación de costumbres de los españoles que iban a poblar por entonces La Española.

Acá son muy necesarios devotos religiosos para reformar la fe de los nuestros más que para darla a los indios, pues ya sus costumbres nos han conquistado y les sacamos ventaja. También necesitamos un letrado, persona experimentada en la justicia, porque sin la justicia real creo que aprovecharán los religiosos poco.

*****

Pronto habrá vecinos acá, porque en esta tierra abundan todas las cosas, en especial el pan y la carne. El pan que hacen los indios es una maravilla, pues está nuestra gente más sana que con el de trigo;

también hay muchos puercos y gallinas, además de otras alimañas que son como conejos, pero con mejor carne. Hay tanto de todo en toda la isla que es normal que un mozo indio con un perro cace cada día quince o veinte presas para su amo, de manera que solo falta vino y vestuario. Por lo demás, esta es la tierra de los mayores haraganes del mundo, o lo es nuestra gente en ella. No hay hombre bueno ni malo que no tenga dos o tres indios que le sirvan, perros que le cacen y mujeres hermosas. De esta costumbre estoy muy descontento, porque me parece que no hace servicio a Dios, y no lo puedo remediar, como comer carne en sábado y otras malas costumbres que no son de ser buenos cristianos. Acá aprovecharía mucho que vinieran algunos devotos religiosos, más para reformar la fe de los cristianos que para darla a los indios. Yo jamás podré castigarlos a menos que se me envíe gente, en cada pasaje cincuenta o sesenta, y a su vez yo envíe de vuelta a otros tantos de los que son haraganes y desobedientes, como ahora hago; este es el mayor castigo.

*****

Siempre temí al enemigo de nuestra Santa Fe, pues se ha puesto a desbaratar nuestro gran negocio con toda su fuerza. Fue tan contrario a todo, antes de que se descubriese, que todos se burlaban. Después la gente que vino conmigo acá, que del negocio y de mí dijeron mil testimonios, ahora desde allá ponen impedimentos a mi despacho y a que Vuestras Altezas tengan la costa, como sucederá si place a Aquel que es superior de todo el mundo, el cual hizo el comienzo y del cual se ve tan manifiesto que le sostiene y aumenta. Es cierto, si se mirasen las cosas que acá han pasado, se podría decir tanto como del pueblo de Israel.

*****

Podría yo todo replicarlo, mas creo que no es necesario porque ya he escrito muchas veces, como ahora, de la tierra que dio Dios en este viaje a Vuestras Altezas, tierra que parece infinita. Por su descubrimiento deben mostrar una gran alegría y darle infinitas gracias a Dios, y aborrecer a quien dice que no gasten en este negocio, pues no son amigos de la honra de su alto Estado. Además, muchas almas se salvarán, de lo cual son Vuestras Altezas la causa y lo cual es el principal fin de esto (la vanagloria del mundo se debe tener en nada, puesto que la aborrece Dios poderoso). Y digo, además, que me respondan quienes leyeron las historias de griegos y romanos, si con tan poca cosa ensancharon tanto su señorío como hizo Vuestra Alteza con las Indias. Esta sola isla tiene una costa de más de 700 leguas; Jamaica, con otras 700 islas y tanta parte de tierra firme, de los antiguos muy conocida y no ignota, como dicen los envidiosos o ignorantes. Además, hay otras muchas islas también grandes desde aquí hacia Castilla además de esta, que es excelente y de la que creo que se debe hablar entre todos los cristianos con maravilla, con alegría. ¿Quién dirá, siendo hombre de seso, que fue riqueza malgastada y que mal se gasta lo que en ello se invierte? ¿Qué memoria mayor en lo espiritual y temporal quedó ni pueda más quedar de Príncipes? Me quedo atónito y pierdo el seso cuando oigo y veo que esto no se considera, y que nadie diga que Vuestras Altezas deban hacer caudal de plata u oro, o de otra cosa valiosa, salvo de proseguir tan alta y noble empresa, pues hallará Nuestro Señor inmenso servicio, y los sucesores de Vuestras Altezas y sus pueblos inmenso gozo. Mírenlo bien Vuestras Altezas, que a mi juicio más les importa lo que hacen las cosas de Francia y de Italia.

LA POBLACIÓN ABORIGEN DE LAS ISLAS

Los primeros nativos americanos que encontró Colón al llegar a las Bahamas, a Cuba (Juana) y a La Española eran taínos, quienes, como leemos en las cartas, recibieron a los españoles como si fueran seres venidos del cielo. Los taínos eran un pueblo indígena perteneciente al grupo de los arahuacos y provenientes de la desembocadura del río Orinoco, en la actual Venezuela, y de Guyana.

A la llegada de las expediciones de Colón, los taínos sufrían las incursiones de los caribes, etnia asentada en las Antillas Menores —el arco formado por pequeñas islas que va desde el este de Puerto Rico hasta la costa occidental de Venezuela—. En las crónicas españolas se suele contraponer los caribes a los taínos, presentados como un pueblo pacífico, mientras que los caribes eran descritos como salvajes, esclavistas y antropófagos. De hecho, se cree que su nombre es el origen del término caníbal, que describe en varios idiomas europeos la práctica de alimentarse con carne de miembros de la misma especie.

CARTA A FRANCISCO ROLDÁN

Carta del Almirante Cristóbal Colón a Francisco Roldán persuadiéndole a la paz y que desista de la rebelión de la que era cabeza.

20 de octubre de 1498

Querido amigo, recibí vuestra carta: después de haber llegado aquí y de haber preguntado por el Sr. Adelantado y D. Diego, pregunté por vos como por aquel en quien tenía yo mucha confianza y a quien dejé con certeza disponer todas las cosas que fuesen menester. No me supieron dar nuevas de vos, pero todos a una voz me contaron algunas diferencias que acá habían pasado y que por ello deseábais mi venida como la salvación del alma. Yo, ciertamente así lo creí: porque ni aun viendo lo contrario con mis ojos hubiera creído que vos habíais de trabajar hasta perder la vida excepto en cosa que a mí me concerniese. Sobre esto hablé largo con el alcaide, quien con certeza creía, según las palabras que yo le había dicho y él os dijo, que vos vendríais acá. Por eso creí que vuestra llegada sería antes, pues aunque acá hubiesen pasado cosas más graves de las que han podido pasar, creí que vos vendríais a rendirme cuentas de las cosas a vuestro cargo, así como lo hicieron todos los otros a quien cargo dejé, como es costumbre y honra de ellos. Y si hubiera impedimentos para hacerlo de palabra, lo harían por escrito, pero no era menester seguro ni carta. Dije después de haber llegado aquí que yo aseguraba a todos que cada uno pudiese venir a mí y decirme lo que les placiera, y de nuevo lo vuelvo a decir.

En cuanto a lo que decís de la ida a Castilla, yo por vuestra causa y la de las personas que están con vos, creyendo que algunos se querían ir, he detenido los navíos dieciocho días más de lo dispuesto, y los detendría más tiempo, pero los indios que llevaban les daban mucho trabajo y se les morían. Me parece que no debéis actuar a la ligera y mirar a vuestra honra más de lo que me dicen que hacéis, porque no hay nadie a quien eso más toque, y no debéis dar causa a las personas que os quieren mal acá o en vuestra tierra para que no tengan nada que decir, y así evitar que el Rey y la Reina Nuestros Señores se enojen. Por cierto, cuando me preguntaron por las personas de acá en quien pudiese tener el señor Adelantado consejo y confianza, yo os nombré primero que a otros, y les puse vuestro servicio más alto, pero ahora me apena que por estos navíos hayan de oír lo contrario: ahora ved qué es lo que se puede o convenga al caso, y avisadme de ello, pues los navíos partieron. Nuestro Señor os haya en su guarda.

Santo Domingo, a veinte de octubre.

FRANCISCO ROLDÁN

Francisco Roldán fue caballero de los Reyes Católicos. Poseedor de la confianza de la Corona, participó en la conquista de Granada en 1492. En 1493, acompañó a Colón en su segundo viaje. Al llegar, el Almirante descubrió que su colonia llamada La Navidad había sido destruida por los indios, por lo cual fundó una nueva que recibió el nombre de La Isabela. En los años siguientes, Colón continuó creando una serie de pequeñas villas en La Española.

Roldán fue nombrado Alcalde Mayor de La Isabela, y posteriormente ocupó uno de los cargos de mayor responsabilidad de toda la isla. Solo por encima de Roldán estaba el gobernador, Bartolomé Colón, cuya gestión y la dureza con que trataba a los colonos llevaron a Roldán a conseguir apoyos de distintas personas de su confianza con la idea de salir de la isla, o de retirar del poder a los Colón.

Entrevista del Adelantado y Roldán en el fuerte de la Concepción
Fuente: Vida y viajes de Cristóbal Colón / Washington Irving

CARTA DE LOS REYES CATÓLICOS SOBRE EL ALZAMIENTO DE FRANCISCO ROLDÁN

Año de 1499

Estos fragmentos los publicó Fray Bartolomé de las Casas en su Historia de las Indias, lib, I, cap. CLXIII. En ellos Cristóbal Colón habla de su tercer viaje, y de cómo al llegar a la isla Española halló sublevado a Roldán, entre otras cosas.

Después de llegar, con tanta gente y poder de Vuestras Altezas, después de que él cambiase su primer propósito, yo quería salir a él, mas hallé que era verdad que la mayor parte de la gente que yo tenía estaban en su bando. Como eran gentes que debían trabajar, Roldán y los que con él estaban, los que ya estaban de su parte, encontraron la forma de hacer que se pasasen a su bando porque les prometieron que no trabajarían y tendrían rienda suelta, mucha comida y mujeres, y, sobre todo, libertad para hacer todo lo que quisieran. Así fue necesario que yo disimulase y, en fin, acordé que les daría dos de las tres carabelas que había de llevar el Adelantado a descubrir, las cuales estaban de partida, y cartas de buen servicio para Vuestras Altezas, y su sueldo, y otras cosas, muchas deshonestas. Así que se las envié allá al cabo del poniente de esta isla, y he estado siempre en fatiga, pues desde que vine hasta hoy día, que es el mes de mayo del 99, aún no se ha ido y tiene allá los navíos, y cada día me roban y ofenden. Nuestro Señor lo remedie.

*****

Muy altos Príncipes: cuando yo vine acá, traje a mucha gente para la conquista de estas tierras. Decían ellos que servirían muy bien y mejor que nadie, pero fue al revés, según después se ha visto, porque no venían más que por la creencia de que había oro y especias que pensaban que cogerían con palas en la ribera de la mar y que no haría falta nada más salvo echarlo en las naos —tan ciegos los tenía la codicia—. No pensaban que, aunque hubiese oro, estaría en las minas, como los otros metales, y las especias en los árboles; y el oro sería necesario cavarlo, y las especias cogerlas y curarlas.

Lo cual todo lo predicaba yo en Sevilla, porque eran tantos los que querían venir, y yo conocía su fin, que hacía que se les dijera esto y que supieran todos los demás trabajos que suelen sufrir los que van a poblar nuevamente tierras muy lejos. A lo cual todos me respondían que a eso venían. Mas ellos, al llegar acá y ver que les había dicho la verdad y que su codicia no había lugar de hartarse, quisieron volver, sin ver que era imposible conquistar y señorear esto; y como yo no se lo consentí, me odiaron. No tenían razón, pues yo los había traído y dicho claro que yo venía a conquistar, y no a volver pronto como ya había visto hacer a otros semejantes, y que tenía conocida su intención. Me tomaron odio porque no les consentía ir tierra adentro, de dos en dos o tres en tres, algunos solos, por lo que murieron muchos indios por esta causa, por andar así sueltos, pues mataban si yo no lo remediaba, como digo, y llegaba su osadía a tanto, que me hubieran echado sin debate de la tierra, si Nuestro Señor no lo hubiera impedido.

Recibí esto con gran pena, así como por los bastimentos[12] que yo les había de proveer; algunos que no podían dar de comer en Castilla a un mozo querían tener acá seis o siete hombres, y que yo los gobernase y pagase sueldo; no había razón ni justicia que los tuviera satisfechos. Otros habían venido sin sueldo, posiblemente la cuarta parte de ellos, escondidos en las naos, a los cuales me fue necesario contentar así como a los otros, de manera que, desde entonces, tengo mayor pena con los cristianos que con los indios, que por una parte se ha doblado y por otra se me alivia. Se me dobla por este ingrato desconocido, Roldán, que vivía conmigo, y los que con él estaban, a los que yo tenía hecha tanta honra. Este Roldán, que no tenía nada, en pocos días tenía ya más de un cuento[13], y a estos otros que ahora

[12] Provisión para sustento de una ciudad, de un ejército.

[13] Un millón de maravedíes.

nuevamente fueron llegando de Castilla, se les dio dineros y buena compañía, así que me tienen en pena. Por otra parte estoy aliviado, porque la otra gente siembra y tienen muchos bastimentos, saben ya la costumbre de la tierra y comienzan a gustar de su nobleza y fertilidad, muy al contrario de lo que hasta ahora se decía: que no hay tierra en el mundo tan aparejada para haraganes como esta y mucho mejor para quien quisiera tener una hacienda, como después diré, por no salir del propósito. Así que nuestra gente que vino acá no podía satisfacer su codicia, la cual era desordenada, tanto que muchas veces he pensado y creído que ella ha sido la causa de que Nuestro Señor nos haya cubierto de oro y otras cosas. Cuando acá salí al campo hice experimentar a los indios cuánto podían coger, y hallé que algunos sabían bien y cogían en cuatro días una medida en la que cabía una onza y media, y así tenía yo asentado en todos los de esta provincia de Cibao y les placía de dar tributo por cada persona, hombre y mujer, de catorce años arriba hasta setenta, una medida de estas que yo dije de tres en tres lunas, y cogí yo este tributo hasta que fui a Castilla, así que por esto tengo yo imaginado que la codicia haya sido causa que se pierda.

Mas estoy muy seguro de que Nuestro Señor, por su piedad no mirará nuestros pecados. Nuestra gente, después de ver que su parecer no les salía como tenían imaginado, estaban acongojados y querían volver a España; así pues les daba yo lugar para que fuesen en cada pasaje, y por mi desdicha, aunque de mí hubiesen recibido mucha honra y buen tratamiento, ellos, al llegar allá, hablaban de mí peor que de un moro, sin dar ninguna razón, y levantaron mil testimonios falsos, y dura esto hoy día. Mas Dios Nuestro Señor, el cual sabe bien mi intención y la verdad de todo, me recompensará, como hasta ahora hizo, porque hasta hoy no ha habido persona contra mí con malicia a quien no le haya él castigado, y por esto es bueno echar todo al cuidado de su servicio, que él le dará gobierno. Allá dijeron que yo había asentado el pueblo en el peor lugar de la isla, pero es el mejor, dicho de boca de todos los indios de la isla; y esos que esto decían, muchos de ellos no habían salido fuera del cerco de la villa un tiro de lombarda: no sé qué fe podían dar. Decían que morían de sed, y pasa el río allí junto a la villa, no tan lejos como Santa María, en Sevilla, al río. Toda esta tierra es la más sana y con más aguas y mejores aires que cualquier otra que se halle bajo el cielo, y se debe creer que es así, pues está en un paralelo y en una distancia de la línea equinoccial con las islas Canarias, las cuales en esta distancia están conformes, mas no en las tierras, porque son todas sierras secas y altísimas, sin agua ni fruto y sin cosa verde, las cuales fueron alabadas por los sabios por estar en tan buena temperancia, debajo de tan buena parte del cielo, distantes de la equinoccial, como ya dije. Mas esta Española es grandísima, ocupa más que España y está muy llena de vegas y campiñas y montes y sierras y ríos grandísimos y otras muchas aguas y puertos, y toda pobladísima de gente muy industriosa; así que creo que debajo del cielo no hay mejor tierra en el mundo. Dijeron que no había bastimentos, y hay carne y pan y pescado en tanta abundancia que, después de llegar acá, los peones que se traen de allá para trabajar acá sin sueldo se mantienen a ellos y a los indios que les sirven; como Roldán, el cual está en el campo más de un año, con 120 personas, las cuales traen más de 500 indios que los sirven, y a todos los mantienen con mucha abundancia.

Dijeron que yo había tomado el ganado de la gente que lo trajo acá, pero no trajo nadie nada, salvo ocho puercas a 70 maravedís la pieza que se recogieron en la isla de la Gomera; y como eran personas que querían volver luego a Castilla y las mataban, yo defendí que multiplicasen, mas no que no fuesen suyas.

Dijeron que la tierra de La Isabela, donde está el asentamiento, era muy mala y que no daba trigo; yo lo cogí y se comió pan. Y es la más hermosa tierra que se puede codiciar; una vega de catorce leguas de largo y dos de ancho, y tres y cuatro, entre dos sierras, y un río muy caudaloso que pasa por medio, y otros dos no grandes, así como muchos arroyos que de la sierra vienen a ellos, y por pan de trigo no cura nadie porque esto otro es mucho y mejor y se hace con menos trabajo. De todo esto me acusaban de forma injusta, como ya dije, y todo para que Vuestras Altezas me aborreciesen a mí y al negocio; mas no fuera así si el autor del descubrir de ello fuera converso, porque los conversos son enemigos de la prosperidad de Vuestras Altezas y de los cristianos, mas echaron esta fama y tuvieron forma de que llegase a perderse del todo, y estos que están con este Roldán, que ahora me da guerra, dicen que los más son de ellos.

Me acusaron de la justicia, la cual siempre hice con tanto temor de Dios y de Vuestras Altezas, más que los delincuentes sus feos y brutos delitos, por los cuales Nuestro Señor ha dado en el mundo tan fuerte castigo, y de los cuales tienen aquí los alcaldes los procesos.

Otros infinitos testimonios dijeron de mí y de la tierra, la cual se ve que Nuestro Señor la dio milagrosamente, y la cual es la más hermosa y fértil que haya debajo del cielo, en la cual hay oro y cobre, y tantas clases de especias, y tanta cantidad de brasil[14], del cual, solo con esclavos me dicen estos mercaderes que se puede haber cada año cuarenta cuentos, y dan razón de ello, porque es la carga ahí más de tres veces cada año y en la cual puede vivir la gente con tanto descanso, como todo se verá muy pronto.

[14] Especie de árbol de madera muy pesada y de color encendido como una brasa, el cual hecho pedacitos y puesto a cocer en agua sirve para teñir de colorado las lanas, paños y otras cosas.

Y creo que, según las necesidades de Castilla y la abundancia de La Española, va a venir muy pronto mucha gente, y será el asiento en La Isabela, donde fue el comienzo, porque es el lugar más idóneo y el mejor, más que ningún otro de la tierra, como se debe de creer puesto que Nuestro Señor me llevó allí milagrosamente, no pude ir atrás ni adelante con las naos, solo descargar y hacer asiento. Esta razón me movió a escribir esta escritura, por la cual dirán algunos que no era necesario relatar hechos pasados, mas yo comprendí que todo era necesario, así para Vuestras Altezas como para otras personas que habían oído maldecir con tanta malicia y engaño, lo cual se ha dicho sobre cada cosa de las escritas, y no solamente de las personas que fueron de acá, y más con mucha crueldad de algunos que no salieron de Castilla, los cuales tenían facultad de probar su malicia al oído de Vuestras Altezas y todo con arte, y todo por hacer una mala obra, por envidia, como pobre extranjero; mas en todo me ha socorrido y socorre Aquel que es eterno, que siempre ha usado misericordia conmigo, pecador muy grande.

LA REBELIÓN DE FRANCISCO ROLDÁN

Las expectativas de obtener grandes riquezas en las Indias habían sido altas para los que había llegado y, al no verse satisfechas, creció el descontento. Aprovechando la coyuntura, Roldán se enfrentó con Bartolomé Colón en 1497 y estableció un régimen rival en la parte oeste de La Española, reclutando allí a muchos colonos. En 1498, todas las villas y fortalezas se habían unido a él, menos La Vega y La Isabela.

El detonante de la rebelión fue la solicitud de Roldán de reflotar una carabela que habían sacado del mar los Colón en La Isabela, y así volver a Castilla. Diego Colón denegó la petición argumentando que el buque no tenía cuerdas ni el equipo necesario para el viaje. Sin embargo, el barco acababa de regresar de Xaragua de recoger el tributo —algodón y cazabe—, de Behechio, y de transportar estas mercancías hasta La Isabela. El hecho de no poder salir de la isla les convenció definitivamente de que había que hacer algo. Diego Colón intentó disuadirlos enviándolos a La Vega para exigir un tributo a unos indios que se negaban a pagarlo. Para Roldán esta fue la excusa perfecta para recabar apoyos por la isla.

Estos apoyos los buscó entre los indios prometiéndoles que si se aliaban con ellos les quitaría el tributo que les habían impuesto. También recorrió los distintos fuertes construidos por los españoles ofreciéndoles cambios a mejor. Poco a poco, Roldán se hizo fuerte en la isla.

A finales de agosto de 1498, Cristóbal Colón llegó a La Española. Fue recibido por su hermano, quien le puso al corriente de la rebelión de Roldán y le informó de lo acaecido en esos dos largos años.

Al poco tiempo, Roldán acudió a Santo Domingo a reunirse con el Almirante, y tras varias reuniones y cartas completaron unas capitulaciones por las que Colón se comprometía a preparar en dos semanas dos barcos para los colonos que quisieran volver a Castilla, además de darles un certificado de buen comportamiento a todos. Las capitulaciones se firmaron en noviembre de 1498. Sin embargo, el Almirante escribió una carta dirigida a los Reyes Católicos manifestando que los colonos, los rebeldes, deberían ser sometidos a la justicia. Esto no sucedió. Las carabelas prometidas en las capitulaciones no llegaron hasta marzo del año siguiente, en bastante mal estado. Entonces, los seguidores de Roldán rehusaron regresar a Castilla.

Regreso de varios rebeldes a España
Fuente: Vida y viajes de Cristobal Colón / Washington Irving

CARTA A SU SANTIDAD INFORMÁNDOLE DE LOS SUCESOS DE SUS VIAJES ANTERIORES

Informándole de los sucesos de sus viajes anteriores le manifiesta su deseo de presentarse a su santidad, y le suplica mande ir con él religiosos para predicar el evangelio, pues iba a emprender un nuevo viaje.

febrero de 1502

Beatissimo Pater: Después de acometer esta empresa y de ir a descubrir las Indias, fue mi voluntad ir personalmente a Vuestra Santidad con la relación de todo: nació en ese tiempo adversidad entre el Rey de Portugal y el Rey y la Reina, mis señores, diciendo el Rey de Portugal que también quería ir a descubrir y ganar tierras en aquel camino y en aquellas partes.

El Rey y la Reina, mis señores, me enviaron de nuevo aprisa a la empresa para descubrir y ganar todo, así que no pude hacer efectiva mi visita a Vuestra Santidad. Descubrí este camino, y gané mil cuatrocientas islas, y trescientas treinta y tres leguas de la tierra firme de Asia, sin otras islas famosísimas y grandes al oriente de la isla Española, en la cual yo hice asiento, y la cual bojé[15] ochocientas leguas de cuatro millas cada una. Está muy poblada, y allí hice tributaria en poco tiempo a la gente para el Rey y la Reina, mis Señores. En ella hay minas de todos los metales, en especial de oro y cobre: hay brasil, sándalos, aloes y otras muchas especias, y hay encenso, que sale del árbol de mirabolanos[16]. Esta isla es Tarsis, es Cethia, es Ofir y Ophaz y Cipanga, y nosotros la hemos llamado Española. En este viaje navegué tanto al occidente que cuando en la noche se ponía el sol en Cádiz faltaban dos horas para que amaneciera[17], de manera que yo anduve diez líneas del otro hemisferio, y no pude errar, porque hubo entonces eclipses de luna en catorce de septiembre. Después fue necesario venir a España aprisa, y dejé allá dos hermanos con mucha gente en mucha necesidad y peligro.

Volví a ellos con remedios y navegué hacia el austro[18], donde encontré tierras infinitas y el agua de la mar dulce. Creí y creo aquello que creyeron y creen

---

[15] Bojar, boxar o boxear significa tener alguna isla en circuito por tantas leguas o millas, o medir la circunferencia o circuito de una isla, país o región. La palabra se forma a partir del nombre box en el significado de ámbito o circuito de algún país marítimo.

[16] Ciruelo mirobolano, también conocido como ciruelo-cerezo o ciruelo de jardín.

[17] Colón creía estar a 150 grados occidentales cuando en realidad La Española se encuentra entre los 68° y 74° de longitud.

[18] En la mitología romana, es el dios de los vientos del sur. Su equivalente en la mitología griega es Noto.

tantos santos y sabios teólogos: que allí en la comarca está el Paraíso terrenal. La necesidad en que yo había dejado a mis hermanos y a aquella gente fue la causa de que yo no me detuviese a explorar más esas partes, y volviese a ellos. Allí hallé grandísima pesquería de perlas, y en la isla Española la mitad de la gente alzada vagamundeando, y donde yo pensaba que habría sosiego no dejó la muerte de estar abrazada a mí ni una hora, y refresqué peligro y trabajos. Gozaría mi ánima y descansaría si ahora en fin pudiera venir a Vuestra Santidad con mi escritura, la cual tengo para ello que es en la forma de los Comentarios y uso de César[19], en que he proseguido desde el primer día hasta ahora que yo haya de hacer en nombre de la Santa Trinidad viaje nuevo, que será para la gloria y honra de la Santa Religión Cristiana, razón que me sosiega y hace que yo no tema peligros ni me lamente por las fatigas y muertes que en esta empresa he pasado, con tan poco agradecimiento del mundo. Yo espero de aquel eterno Dios la victoria de esto como de todo lo pasado. Y cierto, sin ninguna duda, después de volver aquí no descansaré hasta que venga a Vuestra Santidad con la palabra y escritura del todo, el cual es magnánimo y ferviente en la honra y acrecentamiento de la Santa Fe Cristiana.

[19] Comentarios a la Guerra de las Galias de Julio Cesar (100 – 44 a.C.) es un libro desapasionado y carente de emociones, una crónica que intenta relatar unos hechos ocurridos sin más (los años que pasó luchando contra ejércitos locales en la Galia).

BORJA PAPA

Alejandro VI (Xàtiva c.1431-Roma 1503) fue papa de la Iglesia católica entre 1492 y 1503. Nacido en el seno de una importante familia de la nobleza que participó de forma destacada en la conquista cristiana del Reino de Valencia a los musulmanes, y sobrino de Alfonso Borja, el obispo de Valencia que llegó a ser proclamado papa bajo el nombre de Calixto III, Roderic de Borja, el papa Alejandro VI, fue también conocido popularmente como Borja Papa.

Al saber del conflicto entre los Reyes de las Españas y el de Portugal por el control del comercio y la colonización de los territorios descubiertos, Alejandro VI intervino. Había un acuerdo, que parecía claro desde la firma del Tratado de Alcáçovas en 1479, que establecía que la corona de Portugal, a cambio de ceder las islas Canarias a Isabel y Fernando, tendría el monopolio del comercio en África. Cualquier descubrimiento al sureste de las Canarias sería para Portugal.

Cuando Colón descubrió las Indias, el Rey de Portugal, Juan II, reclamó los territorios. Como respuesta, el papa decretó que los nuevos territorios estarían bajo dominio de Castilla y fijó una línea divisoria de norte a sur a unas 350 millas al oeste de Cabo Verde. De este modo, Alejandro VI afirmó que todas las tierras descubiertas o por descubrir al oeste de esa línea pertenecerían a España. Los monarcas españoles, deseosos de alcanzar un acuerdo razonable, desplazaron la línea unas 920 millas más, en el tratado de Tordesillas firmado en 1494.

El Papa tenía una estrecha relación con Isabel y Fernando desde que autorizó su matrimonio pese a que eran primos segundos. Fernando le correspondió dejándole acaparar cargos eclesiásticos que le facilitaron su ascenso hasta llegar a ser papa al tiempo que otorgó favores a sus hijos, entre otros el ducado de Gandía y el arzobispado de Valencia.

Ahora, Beatíssimo Pater, suplico a Vuestra Santidad que, para mi consolación y por otros aspectos que tocan a esta tan santa y noble empresa, me de la ayuda de algunos sacerdotes y religiosos que para ello conozco que son idóneos y por su Breve mande a todos los superiores de cualquier Orden de San Benito, de Cartuja, de San Jerónimo, de menores y mendicantes que pueda yo, o quien mi poder tuviera, escoger de ellos hasta seis, los cuales negocien donde quiera que sea menester en esta santa empresa, porque yo espero divulgar el Santo Nombre y Evangelio de

Nuestro Señor en el universo. Así que los superiores de estos religiosos que yo escogeré de cualquier casa o monasterio de las órdenes nombradas, o por nombrar, cualquiera que sea, que no les impidan ni pongan contradicción por privilegios que tengan, ni por otra causa alguna, sino que les apremien a ello y ayuden y socorran cuanto puedan, y ellos tengan por bien de trabajar y obedecer en tan santa y católica negociación y empresa, para lo cual ruego eso mismo a Vuestra Santidad de dispensar con dichos religiosos in administratione spiritualium non obstantibus quibuscumque, etc. Concediéndoles además que siempre que quieran puedan volver a su monasterio y sean recibidos y bien tratados, como antes o mejor si sus obras lo demandan. Grandísima merced recibiré de Vuestra Santidad, y quedaré muy consolado y será gran provecho para la religión cristiana.

Esta empresa se tomó con fin de gastar lo que de ella hubiese en amparo de la Casa Santa a la Santa Iglesia. Después de ir, y visitar la tierra, escribí al Rey y a la Reina mis Señores, que hace siete años yo le pagaría cincuenta mil de pie y cinco mil de caballo en la conquista de ella, y hace cinco años otros cincuenta mil de pie y otros cinco mil de caballo, que serían diez mil de caballo y cien mil de pie para esto. Nuestro Señor muy bien demostró que yo cumpliría por experiencia y que podía dar este año a SS.AA. ciento veinte quintales de oro y la certeza de que sería así otro tanto al término de los otros cinco años. Satanás ha destorbado todo esto, y con sus fuerzas ha puesto esto en término para que no haya efecto ni el uno ni el otro si Nuestro Señor no lo ataja. La gobernación de todo esto me habían dado perpetua; ahora con furor fui sacado de ella: por muy cierto se ve que fue malicia del enemigo, y por que no venga a luz tan santo propósito. De todo esto será mejor que deje de hablar antes que hacerlo de forma escueta.

EL TERCER VIAJE DE COLÓN

Así como en la segunda expedición hubo muchos voluntarios interesados en participar, para el tercer viaje solo se pudieron reclutar 226 tripulantes de los 330 previstos, y se usaron seis navíos. Había otras expediciones, pues los reyes habían concedido licencias a particulares para hacer viajes, y la popularidad de Colón era menor.

El tercer viaje se proyectó como de rescate y descubrimiento. Mientras disponía el viaje, Colón mandó dos carabelas bajo las órdenes de Pero Hernández Coronel para enviar refuerzos a su hermano. Realizado el camino a las Indias a través del Atlántico, el marino Alonso Pérez avistó tierra: habían llegado a la isla de Trinidad, al norte de la actual Venezuela. Este fue el viaje en el que descubrieron el continente sudamericano y, en cuanto a la situación administrativa, se crearon los primeros repartos de tierras entre indios y colonos.

Dibujo satírico de Alejandro VI

CARTA DE COLÓN A SU HIJO DIEGO AL EMPRENDER EL CUARTO VIAJE

Muy querido hijo: yo os dejo en mi lugar, y quiero que vos, todo lo que me pertenece, que se gaste con mucho orden, lo que pertenezca a tu honra, y para ello te dejo poder ante escribano.

Todos mis privilegios y escrituras quedan a Fray D. Gaspar, y una escritura de donación de mis bienes, por si fuera menester en algún tiempo.

Yo te mando y encargo que tú con mucha devoción des el décimo de todos los dineros que tengas; sean de rentas o sean de cualquier otra guisa, el diezmo de ella sin dilación dadlo por servicio de Nuestro Señor a pobres necesitados y parientes antes que a otros, y si no estuvieran donde tú estuvieras, apártalo para enviárselo. Si esto haces, nunca te faltará lo necesario, porque Nuestro Señor proveerá.

Yo te mando que a todas las personas que traten contigo las honres y trates bien, desde el mayor al más pequeño, porque son pueblo de Dios Nuestro Señor. Él te honrará y acrecentará según honres a su pueblo, y si maltrataras a alguno de ellos, Nuestro Señor te tratará mal a ti y te afligirá si afliges a nadie, así que haz misericordia y ten por cierto que Él te hará a ti misericordia.

Al Rey y a la Reina, nuestros señores, y a sus hijos, sirve con mucho amor y no los importunes por los memoriales que yo dejé a SS.AA., hasta que plazca a nuestro Señor de traerme a salvo si vivieras el tiempo a su voluntad, aunque digan que yo los precise requerir.

A Beatriz Enriquez tienes encomendada por amor de mí, y debes de atenderla como hacías con tu madre, que obtenga ella de ti diez mil maravedís cada año, además de las otras que tiene en las carnicerías de Córdoba.

A Violante Muñiz da diez mil maravedís cada año por tercios.

Yo te mando, so pena de mi obediencia, que por tu persona tomes cuenta cada mes del gasto de tu casa y lo firmes a tu nombre, porque de otra guisa se pierden los criados y los dineros, y se cobran enemistades.

Yo te mando so pena de inobediente, que todas las cosas de sustancia que tengas que hacer que sea todo con parecer y consejo de Fray D. Gaspar Gorricio, y no de otra manera; y trabaja por que se le traiga el Breve del Santo Padre, para poder salir a entender en mis cosas, y en esta empresa de las Indias demuestra Santa Fe y gasta en esto cuanto sea menester.

En lo de tu casamiento si SS.AA. te hablan o mandan a hablar, responde que yo suplico a SS.AA. que manden que esté suspenso hasta que Nuestro

Señor me traiga.

D.Diego mi hermano queda en Cádiz; es menester que con el dinero que Nuestro Señor te dará lo proveas y tengas gran cuidado de él, porque es mi hermano y ha sido siempre muy obediente. Has de procurar que SS.AA. le hagan merced de algo en la Iglesia, una canonjía u otra cosa.

Luis de Soria siempre dio lo que pudo, y tiene mi procuración; escríbele a menudo y él escribirá al señor.

Yo envié a Carvajal a las Indias en mi lugar a recabar lo que me pertenecía; le di mi instrucción, y por escrito todo lo que allí tengo, que es buena cantidad de dinero, como puedes ver por el traslado de la instrucción y de las escrituras que te dejé en un envoltorio. Él ha de trabajar para enviarte los más dineros que pueda con estos navíos. Yo le dije que se viniera con los otros que irán atrás o en estos que fueron: él sabe muy bien juntar todos mis negocios.

Le prometí quinientos maravedís cada día, por la guisa que hubiera por su última instrucción, y si acá entendiese de mis negocios se le darán cincuenta mil maravedís. Hombre es de buen saber: ha recibido de mí los dineros y escrituras que verás en su instrucción que te digo, como dije arriba, y llevo un libro de mis privilegios autorizado.

Micer Francisco de Rivarol, Micer Francisco Doria, Micer Francisco Cataño y Micer Gaspar Espéndola me prestaron para suplir el ochavo de las mercancías que fueron a las Indias, más ciento dieciocho mil maravedís en dinero que se gastaron en Sevilla, y cincuenta mil en Jerez, y veinticinco mil en Granada: de todo tienen mi cédula y escritura pública. He mandado a Carvajal que los pague todos. Procura que sea así, y todos los otros dineros que parece que haya yo recibido por mi firma. Carvajal llevó poder para recibir el ochavo de todas las mercaderías; se entiende el dinero que de ellas saliera, y otras muchas deudas que allá en La Española me son debidas, y otras cosas que allá me tomó Bobadilla; lo cual todo te dejo por memoria, como arriba va dicho, en un envoltorio.

EL CUARTO VIAJE

Unos 140 hombres, repartidos en dos carabelas y dos naos, formaron la tripulación del último viaje colombino, cuyo objetivo fundamental era el de buscar un estrecho que condujera a la India. Durante este viaje descubrieron las costas caribeñas de los actuales países de Honduras, Nicaragua, Costa Rica y Panamá.

A medida que avanzaban hacia el sur por la costa de Centroamérica, Colón vio que los indios se parecían más a los que había visto en su tercer viaje, quienes le habían dicho que no había ningún paso marítimo. Entonces abandonó la búsqueda del paso a Asia y se dirigió a Veraguas, en la actual Panamá, porque los indios le habían dicho que había abundante oro. En Veraguas organizaron una expedición hacia el interior, y en los ríos y arroyos descubrieron pepitas de oro, cobre y plata. Cuando surgieron los enfrentamientos con los nativos, Colón se resignó a que no podría establecer una colonia en ese momento y decidió emprender el camino de vuelta. En la navegación por el Caribe, todos los barcos estaban afectados por la broma y podridos, y además hubo tormenta: perdieron los cuatro navíos y naufragaron en Jamaica. Finalmente, fueron rescatados por una carabela enviada desde La Española.

CARTA A LOS REYES MEDIANTE LA QUE LES NOTIFICA CUANTO LE HA OCURRIDO EN EL CUARTO VIAJE

Carta que escribió D. Cristóbal Colón Virrey y Almirante de las Indias a los cristianísimos y muy poderosos Rey y Reina de España nuestros Señores,[20] en que les notifica cuanto le ha ocurrido en sus viaje; y las tierras y provinvias, ciudades, ríos y otras cosas maravillosas, y dónde hay miras de oro en mucha cantidad, y otras cosas de gran riqueza y valor.

7 de julio de 1503

Serenísimos y muy altos y poderosos Príncipes, Rey y Reina, nuestros señores:

De Cádiz pasé a Canarias en cuatro días, y desde allá a las Indias en dieciséis días, desde donde escribí. Mi intención era darme prisa en mi viaje en cuanto yo tuviera los navíos bien, y la gente y los bastimentos. Mi derrota fue en la isla de Jamaica, y en la isla Dominica escribí esto; hasta allí traje el tiempo a

[20] Esta carta se basa en la conocida con el nombre de lettera rarissima, impresa por Morelli, bibliotecario de San Marcos en Venecia, que la tomó de un manuscrito perteneciente al Colegio Mayor de Cuenca. La carta se escribió desde las Antillas en 1503 y relata el cuarto viaje.

pedir por la boca. Esa noche que allí entré hubo una tormenta grande, que me persiguió después siempre.

Cuando llegué a La Española envié el envoltorio de cartas, y pedí por merced un navío por mis dineros, porque el que yo llevaba estaba innavegable. Las cartas tomaron, y sabrán si les dieron la respuesta. Me mandaron que no pasase ni llegase a la tierra, y cayó el corazón a la gente que iba conmigo por temor a que los llevara yo lejos, porque si algún peligro les sobreviniese que no les sería remediado allí, pues antes les sería hecha alguna afrenta grande. También a quien plació dijo que el Comendador había de proveer las tierras que yo ganase.

La tormenta era terrible, y en aquella noche me desmembró los navíos: a cada uno llevó por su cabo sin esperanzas, salvo de muerte; cada uno de ellos tenía por cierto que los otros estaban perdidos. ¿Quién nació, sin quitar a Job, que no muriera desesperado? ¿Que por mi salvación y la de mi hijo, hermano y amigos me fuese en tal tiempo defendida la tierra y los puertos que yo, por la voluntad de Dios, gané para España sudando sangre?

Y vuelvo a los navíos que así me había llevado la tormenta dejándome a mí solo. Me los deparó Nuestro Señor cuando le plació. El navío Sospechoso se había echado a la mar, por escapar, hasta la isla La Gallega, y perdió la barca y gran parte de los bastimentos. En el que yo iba, con las velas muy bien sujetas, Nuestro Señor lo salvó y no hubo daño.

En El Sospechoso iba mi hermano, y él, después de Dios, fue su remedio. Y con esta tormenta, así a gatas, llegué a Jamaica. Allí cambió de mar alta a calma, y la gran corriente me llevó hasta el Jardín de la Reina sin ver tierra. Desde allí, cuando pude, navegué a tierra firme, donde me salió el viento y una corriente terrible en oposición: combatí contra ellos sesenta días, y al final no le pude ganar más de setenta leguas.

En todo este tiempo no entré en puerto, no pude, ni me dejó la tormenta del cielo: agua y trombas y relámpagos de continuo; parecía el fin del mundo. Llegué al cabo de Gracias a Dios, y de allí me dio Nuestro Señor viento y corriente prósperos. Esto fue el doce de septiembre. Ochenta y ocho días hacía que no me había dejado la espantosa tormenta, tanto que no vi el sol ni las estrellas por el mar; los navíos tenía yo abiertos, las velas rotas, y perdidas las anclas y jarcia[21], cables, con las barcas y muchos bastimentos, la gente muy enferma, todos contritos, muchos con promesa de religión y ninguno sin otros votos y romerías. Muchas veces llegaron a confesarse los unos a los otros. Otras tormentas se han visto, mas no duraron tanto ni con tanto espanto. Muchos esmorecieron[22], harto y hartas veces, de los que teníamos por esforzados. El dolor del hijo que yo

[21] Conjunto de cabos y cables que forman parte del aparejo de un buque de vela.

[22] Desfallecer, perder el aliento.

tenía allí me arrancaba el alma, y más al verlo de tan corta edad de trece años pasar tanta fatiga y durar en ello tanto: Nuestro Señor le dio tal esfuerzo que él avivaba a los otros y hacía él como si hubiera navegado ochenta años y me consolaba. Yo había adolecido y llegado muchas veces a la muerte. Desde una camarilla que mandé hacer sobre cubierta, mandaba la vía. Mi hermano estaba en el peor navío y el más peligroso, gran dolor era el mío, y mayor porque lo traje contra su voluntad, porque, por mi dicha, poco me han aprovechado veinte años de servicio con tantos trabajos y peligros, pues hoy día no tengo en Castilla una teja; si quiero comer o dormir no tengo donde, salvo el mesón o la taberna, y las más de las veces falta para pagar el escote. Otra lástima me arrancaba el corazón por las espaldas, y era que dejé a D. Diego, mi hijo, huérfano y desposeído de mi honra y hacienda en España, aunque tenía por cierto que allá los Príncipes, como justos y agradecidos, le restituirían todo con creces.

Llegué a tierra de Cariay, adonde me detuve a reparar los navíos y bastimentos, y a dar aliento a la gente, que venía muy enferma. Yo, que, como dije, había llegado muchas veces a la muerte, allí supe de las minas del oro de la provincia de Ciamba, que yo buscaba. Dos indios me llevaron a Carambaru, adonde la gente anda desnuda y con un espejo de oro al cuello, mas no lo querían vender ni dar en trueque. Me nombraron muchos lugares en la costa de la mar, donde dijeron que había oro y minas; el más lejano, a veinticinco leguas, era Veragua[23]. Partí con intención de tentarlos a todos, y llegado ya el medio supe que había minas a dos jornadas de andadura. Acordé enviar a verlas la víspera de San Simón y Judas, cuando había de ser la partida: en esa noche se levantó tanta mar y viento que fue necesario correr hacia adonde él quiso; y el indio adalid de las minas siempre conmigo.

En todos estos lugares donde yo estuve, hallé verdadero todo lo que había oído: esto me certificó que así es la provincia de Ciguare, que, según ellos, es descrita en nueve jornadas de andadura por tierra al poniente. Allí dicen que hay infinito oro, y que traen corales en las cabezas; de coral tienen manillas en los pies y en los brazos, bien gordas, y también las sillas, arcas y mesas las guarnecen y enforran. Además, dijeron que las mujeres de allí traían collares colgados de la cabeza a las espaldas. En esto que yo digo, toda la gente de estos lugares concierta en ello, y dicen tanto que yo me contentaría con el diezmo. También todos conocieron la pimienta. En Ciguare acostumbran a tratar en ferias y mercaderías, esta gente así lo cuenta, y me mostraban el modo y forma que tienen en la barata[24]. Otros dicen que las naos

[23] Es la distancia aproximada que hay entre la actual Bahía del Almirante, antigua Carambaru, y la región que los indígenas llamaban Veragua al este de la Laguna de Chiriquí.

[24] Trueque malicioso.

traen bombardas, arcos y flechas, espadas y corazas, y que andan vestidos, y en la tierra hay caballos, y usan la guerra, y traen ricas vestiduras, y tienen buenas cosas.

Ilustración basada en Paisaje exótico de Henri Julien Félix Rousseau

También dicen que la mar boja a Ciguare, y de allí a diez jornadas está el río Gangues[25]. Parece que estas tierras están con Veragua como Tortosa con Fuenterrabía, o Pisa con Venecia. Cuando partí de Carambaru y llegué a esos lugares que dije, hallé a la gente con las mismas costumbres, salvo que quien tenía los espejos de oro daba uno por tres cascabeles de gavilán, aunque fueran de diez o quince ducados de peso. En todos sus usos son como los de La Española. El oro cogen con otras artes mucho más toscas y rudimentarias que las nuestras. Esto que yo he dicho es lo que he oído. Lo que sé es que el año noventa y cuatro navegué veinticuatro grados al poniente en un término de nueve horas, y no pudo haber error porque hubo eclipses: el sol estaba en Libra y la luna en Ariete. También esto que yo supe por palabra lo había sabido por escrito. Ptolomeo creyó haber remedado bien a Marino, y ahora se halla su escritura bien cercana a lo cierto. Ptolomeo asienta Catigara a doce líneas lejos de su occidente, que él asentó sobre el cabo de San Vicente en Portugal dos grados y un tercio. Marino en quince líneas constituyó la tierra y términos. Marino en Etiopía escribe al Indo la línea equinoccial más de veinticuatro grados, y ahora que los portugueses lo navegan, lo hallan cierto. Ptolomeo dice que la tierra más austral es el plazo primero, y que no baja más

[25] El río Ganges. Aparentemente Colón todavía defendía estar explorando Asia.

de quince grados y un tercio. Y el mundo es poco: el enjuto de ello es seis partes, la séptima solamente cubierta de agua. La experiencia ya está vista, y la escribí por otras letras y con adornamiento de la Sacra Escritura, con el sitio del Paraíso terrenal, que la Santa Iglesia aprueba. Digo que el mundo no es tan grande como dice el vulgo, y que un grado de la equinoccial está a cincuenta y seis millas y dos tercios: pero esto se tocará con el dedo. Dejo esto, por cuanto no es mi propósito hablar sobre aquella materia, salvo dar cuenta de mi duro y trabajoso viaje, aunque sea el más noble y provechoso.

Digo que la víspera de San Simón y Judas corrí donde el viento me llevaba, sin poder resistirle. En un puerto excusé diez días de gran fortuna de la mar y del cielo: allí acordé no volver atrás a las minas, y las dejé ya por ganadas. Partí, por seguir mi viaje, lloviendo. Llegué a puerto de Bastimentos, adonde entré y no de grado[26]: la tormenta y gran corriente me entró allí catorce días.

Después partí, y no con buen tiempo. Cuando hube andado quince leguas forzosamente, me sacudió atrás el viento y la corriente con furia. Volviendo yo al puerto de donde había salido, hallé en el camino al Retrete, adonde llegué con harto peligro y enojo, bien fatigado yo y los navíos y la gente. Me detuve allí quince días, así lo quiso el cruel tiempo, y cuando creí haber acabado me hallé en el comienzo. Allí mudé de

[26] Voluntad.

sentencia de volver a las minas y hacer algo hasta que me viniese tiempo para mi viaje y salir a la mar, pero llegado con cuatro leguas revino la tormenta, y me fatigó tanto que ya no sabía de mi parte. Se repitió el infortunio: nueve días anduve perdido sin esperanza de vida, mis ojos nunca vieron la mar tan alta, fea y hecha espuma.

El viento no era para ir adelante, ni daba lugar para correr hacia algún cabo. Allí me detuve en aquella mar hecha sangre, hirviendo como caldera por gran fuego. El cielo jamás fue visto tan espantoso: un día con la noche ardió como horno y echaba la llama con los rayos, que cada vez miraba yo si me había llevado los mástiles y velas; venían con tan terrible furia que todos creíamos que se habían de hundir los navíos.

En todo este tiempo jamás cesó el agua del cielo, y no para decir que llovía, sino porque comenzaba otro diluvio. La gente estaba ya tan molida que deseaban la muerte para salir de tantos martirios. Los navíos ya habían perdido dos veces las barcas, anclas, cuerdas, y estaban abiertos, sin velas.

Cuando plació a Nuestro Señor volví a Puerto Gordo, donde me recompuse lo mejor que pude. Volví otra vez hacia Veragua para mi viaje, aunque yo no estuviera para ello. Todavía eran el viento y las corrientes contrarios. Llegué casi adonde antes, y allí me salieron otra vez el viento y las corrientes al encuentro, y volví otra vez al puerto, pues no osé esperar la oposición de Saturno con mares tan desbaratados en costa brava, porque las más de las veces trae tempestad o mal tiempo. Esto fue el día de Navidad en horas de misa. Volví otra vez adonde yo había salido con mucha fatiga, y, pasado año nuevo, aunque me hiciera buen tiempo para mi viaje, ya tenía los navíos innavegables, y la gente muerta y enferma.

El día de la Epifanía llegué a Veragua, ya sin aliento. Allí me deparó Nuestro Señor un río y puerto seguro, aunque a la entrada no tenía más que diez palmos de fondo; me metí en él con pena y el día siguiente recordó la fortuna: si me halla fuera, no pudiera entrar a causa del banco. Llovió sin cesar hasta el catorce de febrero, que nunca hubo lugar de entrar en la tierra, ni de remediar en nada. Estando ya seguro a veinticuatro de enero, de improviso vino el río muy alto y fuerte, me quebró las amarras y postes, y hubo de llevar los navíos, y ciertamente los vi en mayor peligro que nunca. Lo remedió Nuestro Señor, como siempre hizo.

No sé si hubo otro con más martirios. A seis de febrero, lloviendo, envié a setenta hombres tierra adentro y a las cinco leguas hallaron muchas minas; los indios que iban con ellos los llevaron a un cerro muy alto, y desde allí les mostraron cuanto los ojos alcanzaban, diciendo que en todas partes había oro y que hacia el poniente llegaban las minas veinte jornadas, y nombraban las villas y lugares, y adonde había de ello más o menos. Después supe yo que el Quibian que había dado estos indios les había mandado que fuesen a mostrar las minas lejos, y que dentro de su pueblo, cuando él quería, cogía un hombre en diez días una mozada de oro; los indios, sus criados, y testigos, de esto traigo conmigo.

Adonde él tiene el pueblo llegan las barcas. Volvió mi hermano con esa gente, todos con oro que habían cogido en cuatro horas allá. La calidad es grande, aunque ninguno de estos jamás había visto minas, y los más tampoco oro. Los más eran gente de la mar, casi todos grumetes. Yo tenía mucho aparejo para edificar y muchos bastimentos. Asenté pueblo, y di muchas dádivas al Quibian, que así llaman al señor de la tierra. Bien sabía que no había de durar la concordia: ellos muy rústicos y nuestra gente muy importunos.

Después de que él viera las cosas hechas acordó quemar y matarnos a todos. Muy al revés salió su propósito: quedó preso él, mujeres, hijos y criados, aunque su prisión duró poco, pues el Quibian huyó a un hombre honrado, a quien se entregó con guarda de hombres, y los hijos se fueron a un Maestre de navío, a quien se dieron a buen recaudo.

Ilustración basada en La encantadora de serpientes de Henri Julien Félix Rousseau

En enero se había cerrado la boca del río. En abril todos los navíos estaban comidos de broma[27], y no se podían sostener sobre el agua. En este tiempo hizo el río un canal, por donde saqué tres de ellos vacíos con gran pena. Las barcas volvieron adentro por la sal y el agua. La mar se puso alta y fea, y no los dejó salir fuera. Los indios fueron muchos y juntos y los combatieron, y en fin, los mataron. Mi hermano y la otra gente estaban en un navío que quedó adentro, yo muy solo fuera en tan brava costa, con fiebre alta y fatiga: la esperanza de escapar estaba muerta. Subí así trabajando lo más alto, llamando con voz temerosa, llorando y muy aprisa, a los maestros de la guerra de Vuestras Altezas, a los cuatro vientos, por socorro, mas nunca me respondieron. Cansado, me adormecí gimiendo. Una voz muy piadosa oí, diciendo: «¡O estulto y tardo a creer y a servir a tu Dios, Dios de todos! ¿Qué hizo él por Moisés o por David su siervo? Desde que naciste, siempre él tuvo para ti un cargo muy grande. Cuando te vio en edad de que él fue contento, maravillosamente hizo sonar tu nombre en la tierra. Las Indias, que son parte del mundo, tan ricas, te las dio; tú las repartiste adonde te plació, y te dio poder para ello. De los atamientos de la mar océana, que estaban cerrados con cadenas fuertes, te

[27] Molusco lamelibranquio marino con aspecto de gusano cuyas valvas funcionan como mandíbulas y perforan las maderas sumergidas, en las cuales excavan galerías, y causa así graves daños en las construcciones navales.

dio las llaves, y fuiste obedecido en muchas tierras y de los cristianos cobraste honrada fama. ¿Qué hizo el más alto pueblo de Israel cuando le sacó de Egipto? ¿Ni por David, que de pastor hizo Rey en Judea? Vuelve a él, y conoce ya tu error: su misericordia es infinita; tu vejez no impedirá toda cosa grande: muchas heredades tiene él grandísimas. Abraham pasaba de cien años cuando engendró a Isaac, ni Sara era moza. Tú llamas por socorro incierto: responde, ¿quién te ha afligido tanto y tantas veces, Dios o el mundo? Los privilegios y promesas que da Dios no las quebranta, ni dice después de haber recibido el servicio que su intención no era esta, y que se entiende de otra manera, ni da martirios por dar color a la fuerza. Todo lo que él promete cumple con acrecentamiento. Dicho tengo lo que tu Creador ha hecho por tí y hace con todos. Ahora medio muestra el galardón de estos afanes y peligros que has pasado sirviendo a otros». Yo así amortecido oí todo, mas no tuve respuesta a palabras tan ciertas, salvo llorar por mis errores. Acabó él de hablar, quien quiera que fuese, diciendo: «No temas, confía: todas estas tribulaciones están escritas en piedra de mármol y no sin causa».

Me levanté cuando pude y al cabo de nueve días hizo bonanza, mas no para sacar los navíos del río. Recogí a la gente que estaba en tierra, y todas las cosas que pude, porque no bastaban para quedar y para navegar los navíos. Me quedaría yo a sostener el pueblo con todos, si Vuestras Altezas supieran de ello. El temor que nunca aportaría allí navíos me determinó a esto y la cuenta que cuando se haya de proveer de socorro se proveerá de todo. Partí en nombre de la Santísima Trinidad la noche de Pascua, con los navíos podridos, abrumados, todos hechos agujeros. Allí en Belén dejé uno, y muchas cosas. En Belpuerto hice otro tanto. No me quedaron salvo dos en el estado de los otros, y sin barcas y bastimentos, por haber de pasar siete mil millas de mar y de agua, o morir en la vía con hijo y hermano y tanta gente. Respondan ahora los que suelen tachar y reprender, diciendo: ¿por qué no hiciste esto allí? Los quisiera yo en esta jornada. Bien creo que otra de otro saber los aguarda: a nuestra fe es ninguna.

Llegué el trece de mayo a la provincia de Mago, que parte con aquella de Catayo, y de allí partí para La Española: navegué dos días con buen tiempo, y después fue contrario. El camino que yo llevaba era para desechar tanto número de islas, por no embarazarme en los bajos de ellas. La mar brava me sacó fuerza, y hube de volver atrás sin velas; surgí en una isla donde de golpe perdí tres anclas, y a la medianoche, cuando parecía que el mundo se envolvía, se rompieron las amarras del otro navío, que vino sobre mí, y fue sorprendente cómo no nos acabamos de quebrar: nos sotustivos gracias al ancla que quedó, fue ella después de Nuestro Señor quien me sostuvo. Al cabo de seis días, cuando ya había bonanza, volví a mi camino: así, ya habiendo perdido del todo los aparejos, con los navíos horadados de gusanos más que un panal de abejas, y con la gente acobardada y perdida, pasé algo más adelante de donde había llegado antes. Allí volví a reposar: paré en la misma isla en más seguro puerto. Al cabo de ocho días volví a la vía y llegué a Jamaica a final de junio, siempre con vientos punteros[28] y los navíos en peor estado: con tres bombas, tinas y calderas no podía toda la gente vencer el agua que entraba en el vacío, ni para este mal de broma hay otra cura. Acometí el camino para acercarme lo más cerca de La Española, que son veintiocho leguas, y no quisiera haber comenzado. El otro navío corrió a buscar puerto casi anegado. Yo porfié la vuelta de la mar con tormenta. El navío se me anegó, y milagrosamente me trajo Nuestro Señor a tierra. ¿Quién creyera lo que yo aquí escribo? De cien partes no he dicho ni una en esta carta. Los que fueron con el Almirante lo atestiguan. Si place a Vuestras Altezas de hacerme merced de socorro con un navío que pase de sesenta y cuatro, con doscientos quintales de bizcochos y algún que otro bastimento, bastará para llevarme a mí y a esta gente a España de La Española. En Jamaica ya dije que no hay ni veintiocho leguas hasta La Española. No fui, aunque los navíos estuvieran para ello. Ya dije que me fue

[28] Según el Diccionario marítimo español de Fernández de Navarrete, el viento puntero recibe este nombre porque obliga a puntear, a ir orzando, esto es, inclinando la proa hacia la parte de donde viene el viento.

mandado de parte de Vuestras Altezas que no llegase a esa isla. Si este mandar ha aprovechado, Dios lo sabe. Esta carta envío por vía y mano de indios: será una gran maravilla si allá llega.

Ilustración basada en la Carta Marina de Olaus Magnus

De mi viaje digo que fueron ciento cincuenta personas conmigo, suficientes pilotos y grandes marineros: ninguno puede dar razón exacta de por dónde yo fui ni vine; la razón discurre presta. Partí sobre el puerto de Brasil. En La Española no me dejó la tormenta ir por el camino que yo quería, y por fuerza corrimos adonde el viento quiso. En ese día caí yo muy enfermo. Ninguno había navegado hacia aquella parte; cesó el viento y mar en ciertos días, y se mudó la tormenta en calma y grandes corrientes. Fui a tomar puerto a una isla, Las Bocas, y de allí a tierra firme. Ninguno puede dar cuenta verdadera de esto, porque no hay razón que abaste y porque fue ir con corriente sin ver tierra un gran número de días. Seguí la costa de la tierra firme: esta se asentó con compás y arte. Ninguno hay que diga debajo de qué parte del cielo nos encontramos o cuándo yo partí de ella para venir a La Española.

Los pilotos creían venir a parar a la isla de Sanct-Joan, pero era tierra de Mango, cuatrocientas leguas más al poniente de donde decían. Respondan, si saben, donde es el sitio de Veragua. Digo que no pueden dar otra razón ni cuenta, salvo que fueron a unas tierras adonde hay mucho oro. Mas para volver a ellas el camino es ignoto: sería necesario descubrirlas como al principio. Una cuenta hay y razón de astrología, y cierta: quien la entiende, esto le basta. A visión profética se asemeja esto. Las naos de las Indias, si no navegan, salvo a popa, no es por la mala hechura, ni por ser fuertes, sino porque las grandes corrientes que allí vienen, juntamente con el viento, hacen que nadie porfíe con bolina, porque en un día perderían lo que hubiesen ganado en siete, ni saco carabela aunque sea latina portuguesa. Esta razón hace que no naveguen, salvo con colla[29], y por esperar se detienen a veces seis y ocho meses en puerto; no es extraordinario, pues en España muchas veces acaece otro tanto.

[29] Bocanada o golpe de viento blando favorable para la partida de los navíos.

La gente de que escribe el Papa Pío, según el sitio y señas, se ha hallado, mas no los caballos, pretales y frenos de oro; no es sorprendente, porque allí las tierras de la costa de la mar no requieren, salvo pescadores, ni yo me detuve porque iba deprisa. En Cariay, y en esas tierras de su comarca, hay grandes hechiceros y muy medrosos. Darían el mundo por que no me detuviera allí una hora. Cuando llegué allí, me enviaron dos muchachas muy ataviadas: la más vieja no tendría once años y la otra siete, ambas con tanta desenvoltura que no serían mas que unas putas, y traían polvos de hechizos escondidos. Al llegar las mandé adornar de nuestras cosas y las envié luego a tierra: allí vi una sepultura en el monte, grande como una casa y labrada, y el cuerpo descubierto y mirando en ella.

De otras artes me dijeron y más excelentes. Animales menudos y grandes hay muchos y muy distintos de los nuestros. Dos puercos tuve yo en presente, y un perro de Irlanda no osaba esperarlos. Un ballestero había herido un animal, que se parece a gato paul[30], salvo que es mucho más grande, y con el rostro de hombre: lo atravesó con una saeta desde los pechos a la cola, y como era feroz le tuvo que cortar un brazo y una pierna. Cuando el puerco lo vio se le encrespó y se fue huyendo; yo cuando esto vi mandé

[30] Así llamó Colón a los monos que encontraron en el nuevo mundo basándose en la denominación que hizo Marco Polo en sus viajes de un tipo de macaco.

echarle begare, que así se llama adonde estaba; al llegar a él, así estando a la muerte y la saeta siempre en el cuerpo, le echó la cola por el hocico y se la amarró muy fuerte, y con la mano que le quedaba le arrebató por el copete como a enemigo. El auto tan nuevo y hermosa montería me hizo escribir esto. Hay muchas maneras de animales, mas todas mueren de barra. Gallinas muy grandes y con las plumas como lana vi muchas. Leones, ciervos, corzos, otro tanto, y aves.

Cuando yo anduve por aquella mar en fatiga en algunos se puso herejía que estábamos hechizados, que hoy día están en ello. Otra gente hallé que comían hombres: la deformidad de su gesto lo dice. Dicen que hay grandes minas de cobre, hachas de ello, otras cosas labradas, fundidas: soldadas y fraguas con todo su aparejo de platero y los crisoles. Allí van vestidos; en aquella provincia vi sábanas grandes de algodón, labradas de muy sutiles labores, otras pintadas muy delicadamente con colores. Dicen que en la tierra adentro hacia Catayo las hay tejidas de oro. De todas estas tierras y de lo que hay en ellas, lo que más abundan son lenguas. Los pueblos, aunque sean espesos, cada uno tiene una lengua diferenciada, tanto que no se entienden los unos con los otros más que nosotros con los de Arabia. Yo creo que esto es así en esta gente salvaje de la costa de la mar, mas no en la tierra dentro.

Ilustración basada en Indio americano luchando con un gorila de Henri Julien Félix Rousseau

Cuando descubrí las Indias dije que eran el mayor señorío rico que hay en el mundo. Hablé del oro, de perlas, piedras preciosas y de especias, y como los negocios y tratos comerciales no fueron tan prestos como esperaba fui escandalizado. Este castigo me hace ahora que no diga nada salvo lo que yo oigo de los naturales de la tierra. De una me atrevo a decir, porque hay tantos testigos, que yo vi en esta tierra de Veragua mayor señal de oro en los dos primeros días que en La Española en cuatro años, y que las tierras de la comarca no pueden ser más hermosas, ni más labradas, ni la gente más cobarde, y buen puerto, y hermoso río, y defensible al mundo. Todo esto es seguridad de los cristianos y certeza de señorío, con gran esperanza para la honra y acrecentamiento de la religión cristiana; y el camino allí será tan breve como a La Española, porque ha de ser con viento. Tan señores son Vuestras Altezas de esto como de Jerez o Toledo; sus navíos que fueron allí van a su casa. De allí sacarán oro; en las otras tierras, para haber de lo que hay en ellas, conviene que se lo lleven, o se volverán vacíos, y en la tierra es necesario que fíen sus personas de un salvaje.

Sobre lo que no cuento, ya he dicho el porqué; no digo así, ni aunque me afirme triplemente en todo lo que haya jamás dicho ni escrito. Solo doy razón de lo que venga de la fuente. Genoveses, venecianos y toda la gente que tenga perlas, piedras preciosas y otras cosas de valor, todos las llevan hasta el cabo del mundo para poderlas trocar, convertir en oro: el oro es excelentísimo; del oro se hace tesoro, y con él, quien lo tiene, hace cuanto quiere en el mundo, y llega a echar a las ánimas al paraíso[31]. Los señores de aquellas tierras de la comarca de Veragua cuando mueren entierran su cuerpo con el oro que tienen, así lo dicen. A Salomón llevaron de un camino seiscientos sesenta y seis quintales de oro, además de lo que llevaron los mercaderes y marineros, y además de lo que se pagó en Arabia. De este oro hizo doscientas lanzas y trescientos escudos, e hizo el tablado que había de estar arriba de ellas de oro y adornado de piedras preciosas, e hizo otras muchas cosas de oro, muchos vasos, muy grandes y ricos de piedras preciosas. Josefo en su crónica De Antiquitatibus lo escribe. En el Paralipomenon y en el Libro de los Reyes se cuenta sobre esto. Josefo quería que hubiera este oro en la Áurea: si así fuese digo que aquellas minas de la Áurea son unas y se convienen con estas de Veragua, que como yo dije arriba se alarga al poniente veinte jornadas, y están en una distancia lejos del polo y de la línea. Salomón compró todo aquello, oro, piedras y plata, y allí le pueden mandar a coger si les place. David en su testamento dejó tres mil quintales de oro de las Indias a Salomón para ayudar a edificar el templo, y según Josefo era el de estas mismas tierras. Jerusalén y el monte Sión ha de ser reedificado por

[31] El buen uso de la riqueza, como ayudar a los demás siendo caritativo, redime los pecados.

manos de cristianos: quién ha de ser, Dios por boca del Profeta en el decimocuarto salmo lo dice. El abad Joaquín dijo que este había de salir de España. San Gerónimo a la santa mujer le mostró el camino para ello. El Emperador de Catayo hace días que mandó sabios que le enseñen en la fe de Cristo. ¿Quién será que se ofrezca a esto? Si Nuestro Señor me lleva a España, yo me obligo a llevarlo, con el nombre de Dios, en salvo.

Esta gente que vino conmigo ha pasado increíbles peligros y trabajos. Suplico a Vuestras Altezas, porque son pobres, que les mande pagar luego, y les haga mercedes a cada uno según la calidad de la persona, que les certifico que a mi creer les traen las mejores nuevas que nunca fueron a España. El oro que tiene el Quibian de Veragua y los otros de la comarca, que según la información es mucho, tomarlo por la vía del robo no me pareció bien, ni buen servicio a Vuestras Altezas; la buena orden evitará escándalo y mala fama, y hará que todo ello venga al tesoro, que no quede un grano. Con un mes de buen tiempo yo acabaría todo mi viaje: por falta de los navíos no porfié a esperarle para volver, y para toda cosa de su servicio espero en Aquel que me hizo, y estaré bien. Yo creo que Vuestras Altezas se acordarán de que yo quería mandar hacer los navíos de una manera nueva, pero la brevedad del tiempo no dio lugar a ello.

Yo tengo en más esta negociación y minas con esta escala y señorío que todo lo otro que está hecho en las Indias. No es este hijo para dar a criar a madrastra. De La Española, de Paria y de las otras tierras no me acuerdo de ellas que yo no llore: creía yo que el ejemplo de ellas hubiera de ser por estas otras al contrario. Ellas están boca abajo, aunque no mueren, la enfermedad es incurable, o muy larga; quien las llevó a esto venga ahora con el remedio si puede o sabe. Las gracias siempre fue costumbre darlas a quien puso su cuerpo en peligro. No es razón que quien ha sido tan contrario a esta negociación la goce ni sus hijos. Los que se fueron de las Indias huyendo de los trabajos y hablando mal de ellas y de mí, volvieron con cargos; así se ordenaba ahora en Veragua, mal ejemplo, y sin provecho del negocio y para la justicia del mundo. Este temor, con otros muchos casos que yo veía claro, me hizo suplicar a Vuestras Altezas antes de que yo viniese a descubrir esas islas y la tierra firme, que me las dejasen gobernar en su real nombre. Les plació, fue por privilegio y asiento, y con sello y juramento, y me dieron el título de Virrey y Almirante y Gobernador General de todo, y señalaron el término sobre las islas de las Azores cien leguas, y aquellas de Cabo Verde por línea que pasa de polo a polo, y de esto y de todo lo demás que se descubriese, y me dieron poder, la escritura más largamente lo dice.

El otro negocio famosísimo está llamando con los brazos abiertos: extranjero ha sido hasta ahora. Siete años estuve yo en su real corte, a cuantos se habló de esta empresa todos a una dijeron que era burla y ahora hasta los sastres suplican por descubrir. Es de creer que van a saltear y se les otorga, que cobran con mucho perjuicio de mi honra y tanto daño del negocio. Bueno es dar a Dios lo suyo y aceptar lo que le pertenece. Esta es justa sentencia, y de justo. Las tierras que acá obedecen a Vuestras Altezas son más grandes y ricas que todas las otras de cristianos. Después que yo por voluntad divina las puse para su real y alto señorío, y en filo[32] para haber grandísima renta, de improviso, esperando navíos para ir a su alto concepto con victoria y grandes nuevas de oro, muy seguro y alegre, fui preso y echado con dos hermanos en un navío, cargados de hierros, desnudo en cuerpo, con muy mal tratamiento, sin ser llamado ni vencido por la justicia. ¿Quién creerá que un pobre extranjero se hubiera de alzar en tal lugar contra Vuestras Altezas sin causa, ni sin brazo de otro Príncipe, estando solo entre sus vasallos y naturales, y teniendo a todos mis hijos en su real corte? Yo vine a servir de veintiocho años, y ahora no tengo cabello en mi persona que no sea cano, y el cuerpo enfermo, y gastado cuanto me quedó de aquello, y me fue tomado y vendido, y a mis hermanos hasta el sayo, sin ser oído ni visto, con gran deshonor mío. Es de creer que esto no

[32] Igualdad, equilibrio.

se hizo por su real mandato. La restitución de mi honra y daños, y el castigo a quien lo hizo, hará sonar su real nobleza, y otro tanto a quien me robó las perlas y a quien ha hecho daño en ese almirantado. Grandísima virtud, fama con ejemplo será si hacen esto, y quedará en la España gloriosa memoria con la de Vuestras Altezas de agradecidos y justos Príncipes. La intención tan sana que yo siempre tuve al servicio de Vuestras Altezas, y la afrenta tan desigual, no da lugar al ánima que calle, aunque yo quiera: suplico a Vuestras Altezas me perdonen.

Estoy tan perdido como dije: he llorado hasta aquí a otros, haya misericordia ahora en el Cielo, y llore por mí la tierra. En lo terrenal no tengo una blanca[33], en lo espiritual he parado aquí en las Indias de la forma que está dicho: aislado en esta pena, enfermo, aguardando cada día por la muerte y cercado por salvajes llenos de crueldad, enemigos nuestros, y tan apartado de los Santos Sacramentos de la Santa Iglesia, que se olvidará de esta ánima si se aparta acá del cuerpo. Llore por mí quien tiene caridad, verdad y justicia. Yo no vine a este viaje a navegar por ganar honra ni hacienda: esto es cierto, porque esa esperanza estaba toda ella muerta. Yo vine a Vuestras Altezas con sana intención y buen celo, no miento. Suplico humildemente a Vuestras Altezas que si a Dios le place sacarme de aquí, que haya por

[33] Moneda de vellón (aleación de plata y cobre) llamada así por su blancura.

bien mi ida a Roma y otras romerías. Cuya vida y alto estado la Santa Trinidad guarde y acreciente. Fecha en las Indias en la isla de Jamaica, a siete de julio de mil quinientos tres.

Ilustración basada en el óleo Los Reyes Católicos en el acto de administrar justicia de Víctor Manzano

CARTA AL REY

Carta del Almirante Cristóbal Colón pidiendo al Rey Católico nombre a su hijo D. Diego para sucederle en la administración de las Indias.

1505

Serenísimo y muy alto Rey,

En mi pliego se escribió lo que mis escrituras demandan: ya lo dije, que en las reales manos de Vuestra Alteza estaba el quitar y poner, y que todo estaría bien hecho. La gobernación y posesión que yo tenía era el caudal de mi honra, mas injustamente fui sacado de ella. Hace mucho tiempo que Dios Nuestro Señor no mostró milagro tan público que el que hizo con todos los que fueron en ayuda. En la más escogida nao que había de la flota de 34, y a la salida del puerto la hundió sin que nadie pudiese ver en qué manera fue ni cómo[34]. Muy humildemente suplico a Vuestra Alteza que mande poner a mi hijo en mi lugar en la honra y en posesión de la gobernación que yo tenía, que toca tanto a mi honra, y en lo otro haga Vuestra Alteza como quiera, que de todo recibiré merced. Que creo que la congoja por la dilación de este despacho mío es aquello que más me tiene así tullido.

[34] Se refiere al naufragio de la armada en la que regresaba a España el comendador Bobadilla con Roldán y otros.

Cronología de la vida de Cristóbal Colón

1451 Año del nacimiento de Cristóbal Colón. Según escrito efectuado por su amigo Andrés Bernaldés, nació en Génova.

1466 Colón comienza su etapa de navegante desde Génova.

1474 Navega a la isla de Chío en misión de comerciante.

1476 El barco en el que Colón viaja como marinero naufraga frente a las costas de Portugal. Llega a Lisboa, donde se gana la vida como cartógrafo y comerciante.

1477 Colón viaja a Inglaterra. Desde Bristol, embarca para Islandia.

1479 Matrimonio con Felipa Perestrelo e Moniz. El matrimonio tiene un hijo, Diego. Permanecen algún tiempo en Madeira y Porto Santo.

1482 Viaje a San Jorge de la Mina, castillo fundado por el Rey Juan II de Portugal en 1482, desde el que se embarcan productos africanos hacia Portugal.

Posteriormente se convierte en un importante fuerte, conocido con el nombre de Elmina, en la ruta del tráfico de esclavos.

1484 Colón se entrevista con el Rey Juan II de Portugal. Este rechaza su plan.

1485 La esposa de Colón, Perestrelo e Moniz, muere. A los pocos meses Colón y su hijo visitan el monasterio de La Rábida, en Palos de la Frontera, actual provincia de Huelva.

1486 Colón se entrevista con los Reyes Católicos, quienes rechazan su proyecto. Entonces se marcha a vivir a Córdoba y allí sobrevive vendiendo libros.

1488 Nace el hijo de Colón y de la cordobesa Beatriz Enríquez de Arana.

1491 Colón realiza una segunda visita a La Rábida, donde siempre encontró apoyo. La intervención del religioso Juan Pérez será decisiva para que los Reyes vuelvan a recibir a Colón.

1492 Colón entabla las negociaciones para su expedición en Granada. El 3 de agosto emprende el viaje desde Palos, Huelva, y llega el 12 de octubre a Guanahaní, una de las islas del archipiélago que posteriormente recibiría el nombre de Las Bahamas.

1493 Colón entra con la carabela Niña en el puerto de Palos el 15 de marzo. Los Reyes lo reciben en Barcelona, donde le confirman sus privilegios, convirtiéndolo en virrey de las tierras que ha descubierto. El 25 de septiembre comienza el segundo viaje.

1494 Colón explora la isla de Cuba y en la costa norte de La Española funda la ciudad de La Isabela. También descubre la costa norte de América del Sur.

1496 El 11 de junio llega a Cádiz. Fin de su segundo viaje.

1498 El 30 de mayo comienza el tercer viaje desde Sanlúcar de Barrameda. El 31 de julio divisa la isla de Trinidad y oficialmente descubre el continente sudamericano.

1500 A finales de octubre Colón termina su tercer viaje en Cádiz y se presenta en la corte en Granada.

1502 El 3 de abril Colón inicia su cuarto viaje, durante el cual recorre el Caribe y Centroamérica en busca de un estrecho.

1503 Encalla en la Bahía de Santa Ana, en Jamaica, de donde lo rescatan después de un año de espera.

1504 Colón llega a Castilla el 7 de noviembre.

1506 El 20 de mayo Colón muere en Valladolid.

Fuentes consultadas

Colón, Cristóbal. *Relaciones y cartas de Cristóbal Colón.* Madrid, 1892: Biblioteca Nacional.

Colón, Cristóbal. *Diario de a bordo. Edición de Luis Arranz.* Madrid, 2006: Edaf.

De las Casas, Bartolomé. *Historia de las Indias.* Alicante, 2006: Biblioteca Virtual Miguel de Cervantes.

Oviedo y Valdés, Gonzalo F. *Historia general y natural de las indias.* Biblioteca de autores españoles desde la formación del lenguaje hasta nuestros días. Madrid, 1959: Atlas.

ÍNDICE